Waarschuwing!!!
Sla dit boek niet open! Niemand mag het lezen.
Het is van mij, en het is geheim!!!
Niemand hoeft te weten wat ik doe in mijn vrije tijd.
En als je het toch leest, dan zal ik je wel vinden.
Want ik weet alles van vingerafdrukken en zo.

Hans Kuyper

Dit dagboek is geheim!

Tekeningen van Alice Hoogstad

Leopold / Amsterdam

De tekstregel die mama zingt op pagina 58 komt uit het
theaterprogramma *De Komiek* van Freek de Jonge.
Miguels liefdesgedichtje op pagina 70 is in het Spaans vertaald
door Karola Hopman, waarvoor mijn hartelijke dank.

NEDERLANDSE
KINDERJURY
2006

Toegekend door KPC Groep te 's-Hertogenbosch.

ISBN 90 258 4893 1 / NUR 283
Eerste druk 2005
© 2002, 2003, 2004, 2005 tekst: Hans Kuyper
Omslag en illustraties: Alice Hoogstad
Uitgeverij Leopold, Amsterdam / www.leopold.nl
Uitgegeven met een licentie van uitgeverij Zwijsen bv te Tilburg

– Dinsdag 6 november, 21.35.13 uur

~~Lief dagboek~~,
~~Hallo allemaal~~,

Nou, ik begin gewoon. Ik weet ook niet hoe dat moet, een dagboek beginnen. Want dit is een dagboek. Mijn dagboek. Ik heb het vandaag gekregen. Voor mijn verjaardag, van tante Nelleke.

'Dat vind jij vast leuk,' zei ze. 'Een dagboek is echt iets voor jou.'

Maar ik weet het niet. Tot nu toe vind ik er weinig aan. Het is ook meer iets voor meisjes, denk ik. En ik ben wel een meisje, maar geen echt meisje. Ik ben toevallig een meisje, niet expres. Hebben jongens ook dagboeken?

Ik ben dus jarig, hoera hoera. En het was heel leuk. Ik heb boeken gekregen (natuurlijk) en een computerspel dat ik niet kende. Van opa kreeg ik best veel geld, tien euro! Mama en papa gaven me een horloge. Waterdicht en zonder wijzers, maar met van die cijfertjes die je ook in het donker kunt zien. Echt mooi! Nu is het bijvoorbeeld 21.38.04 uur. En nu alweer 21.38.29. Ik laat die secondes voortaan maar weg.

Morgenmiddag ga ik niet naar paardrijden, want dan is mijn feestje. De tweeling komt en Ruben en Ipek ook. Dus mijn verjaardag is nog niet voorbij.

Maar nu komt mama naar boven en ik had beloofd dat ik in bed zou gaan liggen.

~~Dag dagboek~~!

Ik heb me toch gelachen vanmiddag! Dat kwam door de tweeling. Die zaten de hele tijd vieze moppen te vertellen. Mama hoorde het wel, maar ze moest er ook om lachen.

We hebben mijn nieuwe computerspel gespeeld en muziek gedraaid. Ruben wilde met me dansen! (Ba!)

Maar het mooiste was de speurtocht. We moesten door de hele buurt lopen en vragen beantwoorden. Bijvoorbeeld hoeveel ramen er in een huis zaten. Bij de moeder van Ipek moesten we aanbellen en toen kwam ze naar de deur – verkleed als heks! Dat was ook lachen.

De speurtocht eindigde achter ons huis. Mama had een tafel in de schuur gezet met lekkers erop. Het was wel koud, maar ook leuk om daar te picknicken.

Daar vertelde de tweeling al die vieze moppen. Ruben zat hard te lachen en hij viel de hele tijd tegen mij aan, zogenaamd per ongeluk. Toen heb ik hem van zijn stoel geduwd, maar hij lachte alleen maar nog harder.

Toen het donker werd, zagen we ook nog iemand tussen de struiken sluipen. Ik denk dat het papa was. Die wilde het natuurlijk extra spannend maken.

We hebben een rondje door het dorp gelopen om iedereen thuis te brengen. Op het laatst liep ik alleen met mama naar huis.

'Dit was mijn allerleukste verjaardag,' zei ik.

'Daar ben ik blij om,' zei mama, en ze aaide me over mijn haar. Dat vind ik een fijn gevoel.

Papa lag televisie te kijken met zijn voeten op de bank.

'Doe je schoenen uit,' zei mama.

'Waarom?' vroeg papa. 'Ze zijn brandschoon.'

Het was waar. Zijn schoenen waren glimmend zwart en er zat geen spatje modder op. Maar hij ging ze toch uitdoen.

Misschien lijkt het onzin om dit op te schrijven, maar ik vond het vreemd. Want als papa's schoenen zo schoon waren, wie had er dan vanmiddag tussen de bosjes gescharreld?

Ik vroeg of papa in de tuin was geweest.

'Welnee, ik heb boven zitten werken,' zei hij.

Misschien hebben we het ons wel verbeeld. Het was ook zo donker in de tuin.

Maar het blijft toch raar.

– Donderdag 8 november, 19.51 uur

Van de tweeling heb ik een boek gekregen. Het is heel spannend. Het gaat over vijf kinderen die misdaden oplossen. Er is ook een tweeling bij. Daarom hebben ze dat boek natuurlijk gekozen. Er komt zelfs een dode man in voor!

Ik leer er veel van. Bijvoorbeeld over vingerafdrukken en voetsporen in het zand. En dat een misdadiger altijd terugkeert naar de plek van de misdaad. Dat is wel makkelijk voor de politie, want dan hoeven ze alleen maar te wachten. Maar ja, als de plaats van de misdaad een grote bank is, zoals gisteren in Utrecht, dan komen er natuurlijk de hele dag veel mensen langs. Dan is het toch weer moeilijk om de boef eruit te pikken.

Ruben was vervelend op school. In de pauze wilde hij met me zoenen. Nou, daar heb ik echt geen zin in. Hij zoent maar met zichzelf. En hij mag volgend jaar ook niet meer op mijn verjaardag komen.

– Vrijdag 9 november, 19.14 uur

Vanmiddag kwam Ipek bij me spelen. Ze vertelde dat Ruben verliefd op me is. Dat had ik ook wel begrepen. Ze zei dat als ik het vervelend vond, dat zij dan wel kon zorgen dat hij verliefd op haar werd. Ik vind het best.

Ipek wilde theedrinken in de schuur, net als op mijn feestje. Toen we de tuin in liepen, zag ik weer iemand tussen de struiken. En het kon papa nu echt niet zijn, want die was de hele dag ergens aan het vergaderen. Ik schrok wel en ik vertelde het aan mama.

'Dat is vast verbeelding,' zei ze. 'Dat komt door dat enge boek dat je aan het lezen bent.'

Maar het is geen eng boek, juist spannend. En bovendien was het al de tweede keer in één week.

Ik ga nog beter opletten.

– Zaterdag 10 november, 17.56 uur

Dit moet een ander dagboek worden. Er komt niks meer in over Ipek of Ruben. Het wordt een geheim boek over geheime dingen. Ik heb al een waarschuwing voorin geschreven. Met dikke, vette letters.

Ik zit op mijn kamer en kijk uit over de donkere tuin. Achter de struiken beginnen de duinen. Er is nog een klein beetje licht in de lucht. Het dennenbos is pikzwart.

Vanmiddag was ik daar met de tweeling. We waren dat spannende boek aan het naspelen. Ik was natuurlijk de schurk en ik ging me verstoppen bij de boom met de drie stammen. Ik had een stuk hardgelopen en ik zat te hijgen, daarom hoorde ik niks.

Opeens voelde ik een hand op mijn schouder en een schorre mannenstem zei: 'Niet hier, jongetje. Ga maar gauw ergens anders spelen.'

8

Ik schrok zo dat ik meteen wegrende. Pas na een tijdje durfde ik me om te draaien. Er was niemand te zien.

De tweeling had me zien vluchten en ze wilden weten wat er aan de hand was, maar ik heb niets gezegd. Het is een geheim, een groot geheim en ik vertel het aan niemand. We zijn wel meteen naar huis gegaan. Het begon toch al donker te worden.

Vanavond bij de soep dacht ik even dat ik het verzonnen had, dat het niet echt gebeurd was. Maar ik weet bijna zeker dat die man in het bos er geweest is. Want hij zei 'jongetje' tegen mij.

– Zondag 11 november, 07.49 uur

Zondagochtend. Papa en mama zijn nog niet uit bed en ik zit alweer te schrijven. Vannacht heb ik veel nagedacht. Ik denk dat die vreemde figuur in de struiken, toen ik mijn partijtje gaf, dezelfde is als die man in het bos. Ik denk dat die man hier iets zoekt.

Maar wat dan? En is het in de tuin, of... in ons huis? Ik heb mijn kamerdeur op slot gedraaid. Dat mag nooit van mama, maar vandaag moet het.

Het regent een beetje en de wereld is grijs. Geen lekker weer om door het bos te sluipen. Ik zie ook niemand in de struiken.

Wist ik maar hoe die man eruitziet of waar hij vandaan komt. Ik moet aanknopingspunten hebben. Zo heet dat in dat boek van de tweeling: aanknopingspunten. Maar ik weet alleen dat het een man is die denkt dat ik een jongetje ben. En hij heeft een schorre stem.

Misschien ga ik het toch wel aan papa en mama vertellen. Maar nu nog niet.

– Zondag 11 november, 19.18 uur

Het heeft bijna de hele dag geregend. Pas toen het al donker begon te worden, werd het droog. Maar toen mocht ik natuurlijk de duinen niet meer in.

Ik ben alleen bij de schuur geweest, vlak bij de struiken. Er was niemand.

Toch was het geen verloren dag, want ik heb iets gevonden. Een sigarettenpeuk. Hij lag tussen de struiken in de modder, maar hij was niet heel vies en ik kon het merk nog lezen: WINSTON.

Papa en mama roken niet, gelukkig. Dus moet die peuk wel van die onbekende man zijn. Ik heb de peuk in een boterhamzakje gedaan en ik bewaar hem in de la tussen mijn spullen. Het is mijn eerste aanknopingspunt. En ik denk dat ik die man Winston ga noemen.

Ik schrijf dit op een krukje bij de voordeur. Ik ga geen Sint-Maarten meer lopen. Ik ben al tien, tenslotte. Mama heeft gevraagd of ik bij de deur wil staan om snoep uit te delen aan de kleintjes. Dat vind ik wel leuk. Er komen er alleen niet zoveel, omdat wij een beetje achteraf wonen. En het is ook al laat.

Maar nu hoor ik toch kinderen zingen. Ik ga opendoen.

– Zondag 11 november, 21.13 uur

Ik moet allang slapen, maar dit kan niet wachten. Er is ontzettend veel gebeurd. Eerst waren die twee kleuters van verderop aan de deur, met hun moeder. Ze zongen heel lief en ik heb ze ieder twee spekkies gegeven. Toen zongen ze nóg een liedje.

Ze liepen het tuinpad af en ik keek ze na. De hele weg

was leeg. Het was koud en een beetje mistig. Echt een weertje voor Sint-Maarten.

Ik wilde net de deur dichtdoen, toen ik de man zag. Hij liep aan de overkant van de weg, langzaam. Recht tegenover ons huis bleef hij staan, net buiten het licht van de lantaarnpaal. Even keek hij mijn kant op, maar zijn gezicht bleef in de schaduw. Hij haalde een rood pakje sigaretten uit zijn zak. Ik kon het merk niet lezen.

Toen hij zijn sigaret had aangestoken, liep hij door. Ik weet niet hoe ik het wist, maar ik was er zeker van dat het Winston was. Ik rukte mijn jas van de kapstok en riep naar mama dat ik toch nog even Sint-Maarten ging lopen. Ze vond het goed.

De weg was weer leeg en ik rende naar de kruising met de Zeeweg. Daar liep de man, niet ver voor me uit. Hij wandelde rustig naar de stoplichten, een blauwe sliert rook achter zich aan. Ik verschuilde me achter een boom.

Het was weer net als in dat spannende boek. Ik was die Winston aan het schaduwen. Zo heet dat, als je achter iemand aan loopt zonder dat hij dat doorheeft. Ik was zijn schaduw geworden.

En hij had echt niks door. Hij keek niet om, zelfs niet toen hij de Dorpsstraat was overgestoken en in de richting van café De Lindeboom liep. Ik volgde hem voorzichtig, van boom naar boom. Als er geen bomen waren, verstopte ik me achter geparkeerde auto's.

Bij de deur van De Lindeboom gooide Winston zijn sigaret in de goot en stapte naar binnen. Ik wachtte een poosje en sloop toen voorzichtig dichterbij. De sigaret was nergens te vinden. Precies voor het café was een put en wat ik ook probeerde, ik kreeg het rooster niet in beweging. Geen aanknopingspunt dus. En ook zijn gezicht had ik nog steeds niet gezien.

Mama zat in de kamer op me te wachten. Ze keek niet blij – en ze had dit dagboek op haar schoot!

'Waar ben jij geweest?' vroeg ze streng.

'Sint-Maarten,' fluisterde ik.

'Waar is je snoep dan?' vroeg ze. 'En je lampion?'

Ik zei niks.

'Wat spook jij uit?' vroeg mama. Ze hield mijn dagboek omhoog.

'Heb je erin gelezen?' vroeg ik.

'Alleen de waarschuwing voorin,' zei mama. 'Verder niet. Dat hoort niet.'

Ik was heel erg ontzettend opgelucht.

'Daarom wil ik dat je me vertelt wat erin staat,' ging mama verder.

Wat moest ik zeggen? Als ik de waarheid vertelde, zou ze me vast verbieden om nog op onderzoek uit te gaan. Dan zou ik nooit weten wie Winston was en wat hij in de duinen en in onze tuin te zoeken had.

Daarom verzon ik iets anders.

'Het gaat over Ruben,' zei ik.

Mama glimlachte zowaar.

'Dacht ik het niet,' zei ze. 'En was je nu net ook nog even naar hem toe?'

Ik knikte.

'Daar hoef je toch niet zo geheimzinnig over te doen,' zei mama. 'Het lijkt me juist leuk om daar samen over te praten. Is hij ook verliefd op jou?'

Ik knikte weer. Mama gaf me dit dagboek terug en ik kreeg ook nog een kus.

'Mijn meisje,' zei ze. 'Niet meer Sint-Maarten, maar stiekem achter de jongens aan...'

Ze moest eens weten hoe groot die 'jongen' is waar ik achteraan zit!

En nu heb ik een lamme hand van het schrijven.

Ruben gaat met Ipek. Ik zou er niet meer over schrijven, dat weet ik wel, maar het is zo. Ze lopen hand in hand op het schoolplein en ze kijken niet eens meer naar mij. Helemaal niet erg. Er zijn belangrijker dingen.

Het allerbelangrijkste: ik was vanochtend in de supermarkt en ik heb om een pakje Winston gevraagd. De vrouw achter de toonbank wilde het eerst niet geven, omdat ik nog een kind ben. Maar toen zei ik dat ik het alleen wilde zien, en dat mocht wel.

Een pakje Winston is rood. Helemaal rood.

In het speelkwartier ben ik naar David gelopen. David zit pas in groep vijf. Zijn vader is de baas van café De Lindeboom. Ik vroeg of hij wist of er gisteravond een onbekende man in het café was geweest, maar dat kon hij me niet vertellen omdat hij de hele avond Sint-Maarten gelopen had.

'Toen ik thuiskwam was het rustig in de zaak,' zei hij. 'Dat is altijd zo op zondagavond. Alleen de vader van de tweeling zat er en de man van kamer twee.'

'Wat is kamer twee?' vroeg ik.

'Kamer twee van het hotel,' zei David. 'Ons café is ook een hotel, dat wist je toch? En er zit al bijna een week een man in kamer twee.'

Dat moest Winston zijn!

'Wat is het voor een man?' vroeg ik.

'Gewoon, een man. Mijn vader heeft me wel verteld wat hij hier komt doen, maar ik ben het vergeten.'

Dat is natuurlijk echt weer iets voor zo'n ukkepuk uit groep vijf.

'Waarom wil je dat weten?' vroeg David.

Ik zei niks en rende naar de tweeling. We hebben gewoon tikkertje gespeeld tot de bel ging. Ik deed net of er niets aan de hand was. Niemand mag weten waar ik mee bezig ben.

's Middags kwam David naar me toe.

'Ik heb het nog even gevraagd,' zei hij. 'Die man is een bioloog. Hij moet de vossen in de duinen tellen, zegt mijn vader. Omdat die de kippen van de boeren stelen.'

Ik geloof er niks van.

– *Dinsdag 13 november, 13.16 uur*

'Ik hoor dat jij verliefd bent,' zei papa bij het ontbijt. 'Op Ruben, is het niet? Wanneer gaan jullie trouwen?'

Mama lachte, maar ik vond het niet grappig.

'Doe niet zo stom,' zei ik.

'Het is maar een grapje,' zei mama.

Papa zei niks.

'Ik hoorde dat er veel vossen in de duinen zijn,' zei ik. 'Ze stelen kippen en zo.'

'Ach, daar zeuren ze elk jaar over,' zei papa. 'Die paar kippetjes, wat maakt dat nou uit. Vossen zijn prachtige beesten.'

'Ik heb er nog nooit eentje gezien,' zei ik. 'Alleen een keer een dooie, langs de weg.'

Dat is waar. Ik woon al mijn hele leven in de duinen en ik heb nog nooit een levende vos gezien.

'Dat is omdat je altijd overdag in de duinen bent,' zei papa. 'De vossen komen pas als het donker wordt, en dan moet jij naar binnen.'

Dus daarom zie ik Winston altijd in de schemering. Het lijkt erop dat David toch gelijk heeft, dat Winston gewoon een bioloog is die vossen telt. En hij stuurde me natuurlijk weg omdat er geen vossen komen als er kinderen aan het spelen zijn.

En toch geloof ik het niet. Morgenmiddag heb ik paardrijles, maar ik ga naar De Lindeboom. Wachten op Winston.

Het was gisteren de dertiende, maar vandaag was de échte ongeluksdag. Ik heb Winston niet gezien.

Ik was op de fiets naar het dorp gereden, maar bij de stoplichten ging ik niet linksaf naar de manege maar rechtsaf naar De Lindeboom en daar ben ik blijven rond-fietsen. Net zo lang tot David naar buiten kwam en vroeg of er iets was.

'Ben je verliefd op mij of zo?' vroeg hij.

Dat vroeg hij zomaar! Ik heb gezegd dat hij gek was en toen ben ik de hoek om gefietst. Bij de bloemenwinkel heb ik mijn fiets op slot gezet en toen ben ik teruggelo-pen en heb me verstopt achter een auto. Daar zat ik heel lang en het was koud, maar het regende niet. Ik hield de voordeur van De Lindeboom goed in de gaten. Ik zag de vader van de tweeling naar binnen gaan.

'Wat zit jij hier nou te doen?'

Ik draaide me vlug om. Daar stonden Ipek en Ruben, hand in hand. Ze hadden allebei een lolly in hun mond. Zeker nog van Sint-Maarten.

'Ik ben iets kwijt,' zei ik. Iets beters kon ik niet verzin-nen.

'Ja, je verstand,' zei Ruben. Ipek lachte hard.

Het was echt een ongeluksdag.

Mama was ook al boos. De manege had gebeld waar ik bleef en ze had me de halve middag lopen zoeken. Ze zei dat ik best verliefd mocht zijn, maar dat ik niet moest overdrijven. Voor straf mag ik tot het weekend niet naar buiten.

Stomme Ruben, met die kleuterlolly in zijn mond.

– Donderdag 15 november, 18.47 uur

David kwam in het speelkwartier naar me toe. Hij wilde weer weten wat ik gisteren bij De Lindeboom deed.

'Dat gaat je niks aan,' zei ik.

Hij was een tijdje stil.

'Ik weet hoe de man van kamer twee heet,' zei hij toen. 'En ik weet ook waar hij woont.'

'Zeg het dan,' zei ik.

'Als jij me vertelt waarom je achter hem aan zit,' zei David.

Nou moest ik weer iets slims verzinnen. Gelukkig ben ik daar nogal goed in.

'Omdat hij de vossen wil doodschieten. En vossen zijn mooie dieren. Ik heb ze al zo vaak gezien in de duinen. Ik wil die man tegenhouden.'

'Hij heet W.J. van Baalen en hij woont in Utrecht,' zei David. 'Ik heb het voor je opgeschreven.'

Hij haalde een briefje uit zijn zak en gaf het aan me.

W.J. VAN BAALEN
NIEUWE GRACHT 568/3
UTRECHT

'Hoe kom je daaraan?' vroeg ik.

'Overgeschreven uit het gastenboek,' zei David. 'Daar moeten alle gasten hun naam in zetten. En we hebben nu maar één gast in het hotel.'

'Was hij er gisteren ook?'

'Nee, hij is een paar dagen naar huis,' zei David. 'Maar dit weekend komt hij terug, heeft mijn vader gezegd. Zijn spullen liggen nog op zijn kamer.'

Tussen de middag vroeg ik aan mama of ik bij David mocht spelen, maar ze was streng.

'Huisarrest is huisarrest,' zei ze. 'Tot het weekend ben jij hier.'

Ik bedacht dat ik misschien door het raam van mijn kamer kon ontsnappen, maar dat zou ze vast merken en dan zou ik nog veel erger straf krijgen. Ik wist niet hoe ik in De Lindeboom moest komen. En ik wilde natuurlijk graag een kijkje in die kamer nemen vóór Winston terug zou zijn.

'O, en voor ik het vergeet,' zei mama, 'morgen moet ik weg voor mijn werk. Ik zal je geld meegeven, dan kun je overblijven. Schrijf je straks zelf je naam even op de lijst op school?'

Gisteren was een ongeluksdag, maar vandaag gaat alles zoals het moet. Ik heb zelfs de tijd gehad om het boek van de tweeling uit te lezen. Het einde is een beetje stom, want die dode man van het begin leeft gewoon nog.

– Vrijdag 16 november, 16.34 uur

Ik had mijn naam natuurlijk niet op de lijst gezet en tussen de middag fietste ik met David mee naar huis. Zijn moeder was verbaasd.

'Hé meisje,' zei ze. 'Ik heb jou niet meer gezien sinds jullie samen in de kleutergroep zaten. Wat gezellig. Wil je ook een gebakken ei?'

Ik keek rond in de keuken van het hotel. Hij was groot en een beetje oud. Er stond een zwart fornuis en er was een enorm rek met wel honderd pannen en schalen erop.

'Hoe komen we op kamer twee?' vroeg ik zachtjes aan David. Hij trok me aan mijn arm mee de keuken uit.

'We komen zo eten,' zei hij tegen zijn moeder.

Het café was nog gesloten. Davids vader was nergens te bekennen. David liep om de bar heen naar een groot bord waar zes sleutels aan hingen. Er zaten grote houten sleutelhangers aan met een nummer erop. David koos nummer twee.

'Wat ben jij aan het doen?' vroeg zijn vader, die plotseling binnenstapte. David kon de sleutel nog maar net op tijd achter zijn rug verstoppen.

'Ze – ze wil het hotel zien,' hakkelde hij.

'Juist,' zei zijn vader. 'Nou, geef dan maar een rondleiding. Maar hou de kamers netjes en niet naar kamer twee, die is bezet.'

We renden het café uit en vlogen over een steile trap naar boven. Daar was een kale gang met zes deuren. Vijf stonden er open, deur nummer twee was dicht.

David haalde de sleutel tevoorschijn en keek om zich heen. Beneden in het café hoorden we het getinkel van glazen. Zijn vader was daar aan het werk. David draaide de deur van het slot.

Er was niemand in de kamer. Het bed was keurig opgemaakt, veel netter dan ik het zelf doe. Op de wastafel lagen een tandenborstel en een halflege tube tandpasta. Verder zag ik niets bijzonders.

'In de kast,' zei David. Hij liep de kamer in en opende de grote linnenkast. Er hingen wat overhemden aan

 knaapjes en op de bodem stond een donkerrode sporttas.

'Doe de deur dicht,' siste David zenuwachtig.

Ik sloot de kamerdeur en David tilde de tas op het bed. Hij ritste hem open en begon erin te rommelen.

'Dat moet je netjes doen, anders weet hij dat er iemand in zijn tas heeft gekeken,' zei ik. Dat had ik geleerd uit het spannende boek met het stomme eind.

'Doe jij het dan maar,' zei David. Hij was bleek en hij keek steeds naar de deur. Misschien vond hij het een beetje té spannend.

Ik legde de spullen uit de tas voorzichtig op het bed, in de goede volgorde. Dan kon ik ze later weer precies hetzelfde terugstoppen.

Er zat niet zoveel in. Sokken en onderbroeken, een krant van vorige week en een halve zak drop. Geen pakjes sigaretten. Ik bekeek de krant even. OVERVALLERS SLAAN GROTE SLAG IN UTRECHT, stond erbovenaan. Ik stak een dropje in mijn mond en pakte er ook centje voor David, maar die wilde niet. Toen had ik dus twee dropjes.

Ik deed alles weer terug in de tas, ritste hem dicht en zette hem op de bodem van de kast. De deur kraakte een beetje toen ik hem dichtdeed.

'Nou, niks dus,' zei David.

En toen zag ik het boek.

Het lag gewoon op het nachtkastje, naast het bed. Het was een dik boek met een slappe kaft en de titel was in een vreemde taal. Engels, denk ik. Halverwege zat een envelop tussen de bladzijden. Die had Winston zeker als bladwijzer gebruikt.

(Ik weet wel dat Winston eigenlijk W.J. van Baalen heet, maar zo'n deftige naam vind ik niet bij hem passen en bovendien kan die W best van Winston zijn.)

Ik onthield waar de envelop gezeten had en bekeek hem aandachtig. Op de voorkant stonden weer Winstons naam en adres. Maar ook op de achterkant was geschreven: de naam en het adres van de afzender...

D. VAN ZANTEN
GEESTERWEG 112
ZUIDEROOG

Van Zanten op de Geesterweg, hier in Zuideroog... Dat was de tweeling! D. van Zanten, dat moest de vader van de tweeling zijn!

– Vrijdag 16 november, 17.49 uur

Ik heb even thee gedronken met mama. Ze is net terug van haar werkafspraak en ze was blij dat ik keurig thuis op haar zat te wachten.

Huisarrest is soms best handig. Nu heb ik de tijd om lekker lang te schrijven. En dat moet, want er is veel gebeurd vandaag.

We hadden dus kamer twee doorzocht en we wisten dat de vader van de tweeling een brief had gestuurd naar Winston. Davids vader had niet gemerkt waar we geweest waren. David hing snel de sleutel terug en daarna gingen we een broodje met gebakken ei eten.

's Middags op school had de meester het over beroepen. We moesten vertellen wat onze vader en moeder voor werk deden. Ik zei dat mijn moeder tekenares was en dat mijn vader iets deed met olie. Ik weet ook niet precies wat. Hij maakt er iets van, geloof ik.

'Dus jouw vader is in de olie!' riep Ruben. Hij lachte

hard, maar ik snapte het grapje niet. De meester zei dat 'in de olie zijn' betekent dat je dronken bent.

'Dan is dat de vader van de tweeling,' flapte ik eruit. 'Want die zit altijd in De Lindeboom.'

Dat was natuurlijk niet aardig, maar het kwam door Ruben. Meester gaf me een standje en de tweeling riep, met twee rode hoofden: 'Toevallig zit onze vader bij de politie!'

'Is dat zo?' vroeg de meester. 'Ik heb hem nog nooit in zijn uniform gezien.'

'Hij heeft ook geen uniform,' zei de tweeling. 'Hij zit bij de recherche.'

Dat was alweer een moeilijk woord dat meester uit moest leggen. Hij vertelde dat de recherche misdaden onderzoekt, vaak ook in het geheim. En dan kan je natuurlijk geen uniform aan hebben, want dan zien de boeven meteen dat je van de politie bent en dan maken ze dat ze wegkomen.

Nu ik dit opschrijf, vraag ik me af waarom ik dat niet wist van de vader van de tweeling. Hebben ze het nooit eerder verteld of was ik het vergeten? Misschien mochten ze het wel niet eens zeggen, als dat werk zo geheim is. En nu heb ik het toch gehoord.

Hun vader kan vast goed schaduwen.

- Zaterdag 17 november, 13.26 uur

David belde net. Winston is terug in kamer twee.

Ik zit met een hoop vragen. Waarom schrijft een politieman (de vader van de tweeling) een brief aan een bioloog die vossen komt tellen (Winston)? Dat slaat nergens op. Dus één van de twee is eigenlijk iets anders.

De vader van de tweeling zal heus wel echt een agent

zijn. Maar wat is Winston dan, een boef? Agenten schrijven toch geen brieven aan boeven?

Nou roept mama me.

– Zaterdag 17 november, 18.03 uur

David was aan de deur. Mama was verbaasd. Die had natuurlijk Ruben verwacht, maar laat die maar lekker lolly's likken met Ipek.

Ik nam David meteen mee naar mijn kamer en deed de deur op slot. Hij vertelde dat Winston vanochtend naar buiten was gegaan. Hij had hem geschaduwd tot aan mijn huis. Daar was Winston in de duinen verdwenen en David durfde niet verder.

'Ben je bang in de duinen?' vroeg ik.

'Nee, maar mijn vader heeft me verboden erin te gaan,' zei hij. 'Het is daar gevaarlijk.'

'Waarom dan?' vroeg ik.

'Dat weet ik niet. Dat wilde hij niet zeggen. Maar ik moest beloven dat ik uit de duinen weg zou blijven.'

David stond op en keek door mijn raam naar de dennenbossen in de verte.

'Het gaat vast niet alleen over vossen,' zei hij.

Ik bedacht me dat het niet eerlijk was als ik David niets zou vertellen, dus ik haalde dit dagboek tevoorschijn. Ik las het helemaal voor, behalve de stukjes over Ruben en Ipek en dat stukje waarin ik schreef dat David een ukkepuk uit groep vijf was.

Ik las wel voor dat hij vroeg of ik verliefd op hem was, woensdag. En ik kreeg er een rooie kop bij, dat was wel stom. Gelukkig bleef David uit het raam kijken.

'Ik ben wel verliefd op jou,' zei hij. Ook alweer zomaar. Alsof het niks bijzonders was.

22

En toen draaide hij zich om, liep naar me toe en gaf me een zoen. Op mijn mond!

Ik hoor mama roepen dat het eten op tafel staat.

– Zaterdag 17 november, 20.48 uur

We hebben broodjes met soep gegeten, dat doen we altijd op zaterdag. Ik moest ook nog helpen met de afwas. Maar nu kijkt papa naar een voetbalwedstrijd en mama is met een tekening bezig op haar werkkamer. Ik kan weer even schrijven.

Ik wist niet wat ik moest doen toen David me die kus gegeven had. Ik dacht dat ik het vies zou vinden, maar dat viel wel mee. Hij had het heel zachtjes gedaan. Eerst wilde ik iets zeggen, maar ik kon niks verzinnen. Daarna wilde ik de kamer uit lopen, maar ik kon niet opstaan. Mijn benen wilden niet. Dat was zo'n gek gevoel!

En zijn gezicht was nog steeds dicht bij het mijne. Ik kon ruiken dat hij pindakaas gegeten had. Toen heb ik hem een zoen teruggegeven. Op zijn wang. Mijn hoofd was zo warm dat ik bang was dat het in de fik zou vliegen.

'Dank je wel,' zei David.

En daarmee was het opeens over. Mijn hoofd voelde weer gewoon en David stond bij het raam, net als daarvoor.

'Ik zie iemand in de duinen,' zei hij. 'Daar, net voor het bos. Hij heeft een groene jas aan, net als W.J. van Baalen vanochtend.'

'Winston,' zei ik en sprong op.

Mijn benen deden gewoon wat ze moesten doen. Ik liep naar het raam. Ver in de duinen, als een groen vlekje tegen de donkere bosrand, scharrelde iemand rond.

'Jij noemt hem Winston,' zei David, 'maar ik heb hem nooit zien roken.'

'Kom,' zei ik. 'We gaan kijken wat hij daar uitvoert.'

'Ik mag niet,' zei David zwakjes.

'Nou, maar ik ga wel en jij bent verliefd op mij, dus je hebt geen keus.'

David zei niks meer. Samen gingen we naar buiten, langs de schuur en tussen de struiken door naar het zandpad. Ik ken de weg daar goed en we waren al snel bij de bosrand.

'Daar is hij,' siste David. We lieten ons achter een struik op onze buik vallen en keken.

Winston zat op zijn hurken en tuurde naar iets op de grond. Misschien lagen daar vossenkeutels of iets anders wat voor een bioloog interessant is. Al geloof ik nog steeds niet dat hij bioloog ís.

Hij stond op en keek een paar keer in de rondte. Daarna nam hij een besluit en verdween tussen de dennen, zijn ogen nog steeds op de grond gericht.

David en ik wachtten een poosje en stonden daarna op. We renden zo snel we konden naar de bosrand. Winston liep een eindje voor ons uit. Hij was moeilijk te zien tussen de bomen, met zijn groene jas.

Ik keek nog even naar de grond, maar ik kon niet ontdekken waar Winston zo lang naar had staan staren. Geen sporen of keutels, gewoon takjes en andere rommel die je overal in het bos kunt vinden.

David en ik zijn natuurlijk nog maar pas begonnen met schaduwen, maar het lukte ons goed. We slopen tussen de dennen zonder een geluid te maken en we verloren Winston niet uit het oog. Tenminste, de eerste tien minuten niet. Toen was hij opeens verdwenen, zomaar, alsof hij door de grond gezakt was.

David en ik bleven staan, ieder achter onze eigen

boom. Ik had een scheve den gekozen, zodat ik bijna mijn rug verrekte bij het verstoppen. Het was stil in het bos, er zong geen vogel en de wind hield zich ook koest tussen de bomen. Heel in de verte klonk het zachte ruisen van de zee.

'Waar is hij nou opeens?' fluisterde David.

Ik haalde mijn schouders op.

'Misschien staat hij ook achter een boom,' zei David. 'Misschien staat hij ons op te wachten.'

Toen werd ik opeens heel bang.

'Kom,' fluisterde ik. 'We gaan terug.'

Veel minder voorzichtig dan we gekomen waren, liepen we het bos weer uit. Pas toen we op het zandpad stonden, durfden we weer normaal te praten.

'Waar zou hij nou gebleven zijn?' vroeg David.

'Ik weet het niet,' zei ik. 'Maar als je mij opbelt als Winston in het hotel is, ga ik nog een keer naar die plek toe en dan zal ik het uitzoeken.'

Dat vond David een goed plan. Ik kon zien dat hij blij was dat hij niet terug hoefde naar dat donkere, sombere herfstbos. Zou hij echt zo bang zijn geweest? Dan was het wel dapper dat hij met me meegegaan is.

Toen we bijna bij onze tuin waren, hoorden we zware voetstappen op het zandpad achter ons. David dook meteen tussen de struiken, maar ik draaide me om.

Het was Winston. Nu zag ik hem voor het eerst echt goed. Hij zag er streng uit, maar niet gemeen of onaardig. Hij glimlachte zelfs.

'Ik heb liever niet dat jullie hier komen spelen, meisje,' zei hij. 'Dat vriendje van je woont toch in mijn hotel? Ik heb zijn vader gezegd dat het onveilig is in de duinen. Luistert hij niet naar zijn vader? Wat doen jullie hier?'

Winstons stem klonk anders dan ik me herinnerde. Veel minder schor. En er was nog iets vreemds, maar ik kon er niet opkomen wat dat dan was...

'Ik woon hier,' zei ik. Mijn hart bonsde in mijn keel en mijn maag deed vreselijk pijn, alsof iemand hem in een bankschroef had klemgezet. Maar ik haalde diep adem en probeerde Winston zo dapper mogelijk aan te kijken.

'Wat doet u hier eigenlijk?' vroeg ik.

Hij lachte weer.

'Ik bestudeer de vossen,' zei hij. 'We geloven dat de boeren giftig vlees hebben neergelegd om ze te doden. Daarom mogen jullie hier voorlopig niet komen. Begrijp je dat?'

Ik knikte.

Maar ik wist dat hij loog. En dat er iets niet klopte.

– Zondag 18 november, 09.47 uur

Het is weer stil in huis. Papa en mama hebben zich nog niet laten zien. Ik zit in de woonkamer en schrijf maar weer een beetje. En ik denk na.

Net kwamen Ipek en Ruben voorbij. Met een zak chips. Die gaan zeker ergens op een stil plekje zitten zoenen. En picknicken. Waar zijn ze nou eigenlijk verliefd op – op elkaar, of op snoep?

Ben ik zelf verliefd? Ik weet het niet. Hoe voelt verliefd zijn? Vlinders in je buik, zeggen ze. Misschien is dat zoiets als wat ik gisteren voelde, toen ik met Winston stond te praten. Dat was niet zo fijn. Meer rupsen in mijn buik dan vlinders.

Ik vond het wel een lekker gevoel toen David me zoende. Ik werd er duizelig van en helemaal slap. Maar zaten er toen vlinders in mijn buik? Ik heb er niet op gelet. Maar wat wel weer raar was: toen ik daarnet een broodje pindakaas voor mezelf smeerde, voelde ik weer precies hetzelfde.

En dan is er natuurlijk nog Winston. Ik pieker me suf wat er nou zo vreemd was in dat gesprek gistermiddag. Hij heeft toch echt iets raars gezegd. Wist ik maar wat...

Ik ga heel veel herrie maken in de badkamer. Misschien wordt mama dan wakker.

– Zondag 18 november, 23.46 uur

Niet vergeten:
    vos.

– Maandag 19 november, 03.41 uur

Nu ben ik weer wakker en ik voel me wat beter, dus begin ik maar aan het verhaal van gisteren. Het wordt wel het langste verhaal van dit hele dagboek, dus ik krijg het vannacht niet af. Dat komt dan morgen wel.

Toen mama wakker werd, ging ze theezetten en we hebben lekker zitten kletsen aan de keukentafel. Ze vroeg naar Ruben en David en ik heb een beetje verteld, niet alles. Omdat ik ook niet alles zeker wist, van wat ik voelde.

Mama zei dat ik voorzichtig moest zijn, anders konden er wel eens mensen verdriet krijgen. Ik zei dat ik heel voorzichtig was. En dat was ik ook vast van plan te zijn.

David belde toen mama stond te douchen. Hij zei dat Winston aan het ontbijt zat en een stapel kranten voor

zich op tafel had, dus voorlopig nog wel niet naar de duinen zou gaan.

Ik trok mijn jas aan en liep over het zandpad naar het dennenbos. Bij de bosrand schrok ik van een rode flits in mijn ooghoek. Ik draaide mijn hoofd om en zag nog net een grote, rode vos wegschieten tussen de wortels van een dikke boom.

De eerste levende vos van mijn leven. En hij was verdwenen voordat ik er erg in had. Zo de grond in...

Voorzichtig liep ik verder. Ik probeerde me te herinneren hoe ik gisteren met David gelopen had. Er was hier geen pad, dus ik moest zelf mijn weg zoeken. Wat lijken bomen soms toch op elkaar!

Vlak voor me stond die scheve den waar ik achter had gestaan toen Winston verdween. Zo'n tien meter verderop hadden we hem voor het laatst gezien.

Ik was nu niemand aan het schaduwen, dus ik hoefde niet heel voorzichtig te zijn. Toch hield ik me zo stil mogelijk. Ik sloop over de zachte bosgrond. Hier, bij die berg takken. Hier moest het zijn, hier was Winston verdwenen.

Er was niets bijzonders te zien. Een kleine open plek met een stapel oud hout in het midden. Ik liep eromheen. Zat daar iets onder, aan die ene kant? Geverfd hout...?

Ik trok wat takken weg en zag een luik. Er zat een slot op, maar de sponning was zo vermolmd dat ik de scharnieren zó los kon trekken. Dat was vast al eens eerder gebeurd.

Ik legde het luik opzij en schoof op mijn billen het gat in. Onder de berg takken was een hol waar ik rechtop in kon staan. Het rook naar zand en vocht en het was koud.

Pas na een tijdje waren mijn ogen gewend aan het donker. Toen zag ik hoe groot het hol was: wel vier bij vier meter en zo'n twee meter hoog. De vloer was van schoon, wit zand en het dak van grote takken en plaggen. In de verste hoek lag een stapel vuilniszakken. Daarnaast lag een matras met een oude slaapzak erop.

Ik liep naar de stapel zakken en maakte de bovenste open. Voorzichtig voelde ik wat erin zat. Stapeltjes papier... Ik haalde er eentje uit en draaide me naar het licht.

Mijn pols begint weer pijn te doen en ik kan mijn ogen niet openhouden. Ik ga even slapen.

– Maandag 19 november, 04.17 uur

Ik kan niet slapen. Ik word telkens wakker en dan voel ik dat zand weer, en de doek om mijn ogen en de touwen... Het is misschien beter mijn verhaal af te maken.

Het was een bundel bankbiljetten. Een dikke stapel bankbiljetten van vijftig euro!

Ik pakte nog een stapel, en nog één. Allemaal geld. Zakken vol geld. Geld genoeg om twintig huizen te kopen, en dan nog een straaljager en een zeilboot. En een reusachtige berg lolly's voor Ipek en Ruben. Een eigen paard.

Of een kasteel, voor David en mij.

Maar zoveel geld in een stapel vuilniszakken in een hol in het bos, dat was niet normaal. Dat moest gestolen geld zijn.

Uit Utrecht...?

Natuurlijk, van die bankoverval laatst in Utrecht. Wat in de krant had gestaan. Hoeveel geld hadden ze daar gestolen? Tien miljoen euro! Tien miljoen... Ik zou nog een miljoen keer jarig moeten zijn om zoveel bij elkaar te krijgen.

Ik veegde de bankbiljetten af aan mijn broek, om geen vingerafdrukken achter te laten, en legde ze voorzichtig terug in de vuilniszak. Daarna ging ik op de matras zitten nadenken.

Winston was gisteren in dit hol verdwenen. Hij wist dus dat hier tien miljoen euro lag. En hij had het laten liggen. Waarom? Omdat hij ergens op wachtte.

Ik snapte opeens alles. In Utrecht was een bank overvallen. De boeven hadden het geld hier verstopt. De vader van de tweeling was daarachter gekomen en had de politie in Utrecht gewaarschuwd. Dat was Winston, een politieman uit Utrecht! En nu wachtte hij in de duinen tot de boeven het geld zouden komen ophalen. Dan had hij ze te pakken. Want misdadigers keren misschien wel terug naar de plaats van de misdaad, maar ze keren zeker terug naar de plek waar de buit ligt.

En daarom mochten er geen kinderen in de duinen spelen. Dat was veel te gevaarlijk, veel gevaarlijker dan dat verhaal van dat giftige vlees! Dat had Winston natuurlijk verzonnen omdat hij niet mocht vertellen wat hij écht kwam doen. Anders zou iedereen naar dat geld gaan zoeken en dan kwamen de boeven nooit meer opdraven.

Maar als het waar was wat ik net had bedacht, zat ik niet op een goede plek. Misschien kwamen de boeven vandaag hun geld wel halen. Misschien stonden ze al buiten het hol op me te wachten...

Ik stond op en sloop over het zand naar de uitgang. Er was buiten niets te zien of te horen, het bos leek rustig. Ik voelde me als een vos die zijn hol verlaat, voorzichtig snuffelend en altijd op zijn hoede.

Ik klom op mijn knieën naar buiten, stond op en sloeg het zand van mijn broek en handen. De zon was doorgebroken en ik knipperde met mijn ogen tegen het felle licht. Daarna draaide ik me om en legde het luik terug. De dode takken gingen er weer keurig overheen. Geen mens kon meer zien dat ik daar binnen was geweest.

Toen ik opstond en terug wilde gaan, hoorde ik opeens geritsel achter me. Twee handen klemden zich om mijn bovenarmen en een schorre stem siste in mijn oor: 'Niet zo snel, kereltje. Jij gaat voorlopig nergens naartoe.'

Het was de man die dacht dat ik een jongetje was, de man met de schorre stem die me een week geleden uit de duinen had gejaagd.

En Winston was het niet.

– Maandag 19 november, 10.23 uur

Ik hoef niet naar school vandaag. Mama heeft me thuis-gehouden om bij te komen van alles wat er gisteren gebeurd is. Ik hoor haar in de keuken bezig. Ze doet zachtjes omdat ze denkt dat ik nog slaap. Lief, hè?

Het is wel prettig om thuis te zijn, maar ook een beet-je jammer. Nu kan ik niet met David praten, of met de tweeling. Terwijl ik juist zoveel te vragen heb. Ik weet nog niet hoe ze me gevonden hebben en wat er met de boeven is gebeurd. Ik was gistermiddag zo ontzettend moe dat mama me meteen onder de douche heeft gezet en naar bed gebracht. Nou ja, dat komt dan later wel. In ieder geval kan ik nu verder met mijn verhaal.

De man met de schorre stem duwde me voorover op de grond en bond een lap voor mijn ogen. Daarna sleepte hij me terug het hol in en bond me daar vast. Hij legde me op de matras en sloot het luik. Het werd pikkedonker om me heen, dat kon ik zelfs door de lap heen merken.

Eerst was ik bang. Verschrikkelijk bang. Ik wist niet wat de man met me zou gaan doen. En hij bleef ook zo

lang weg. Ik hoorde niets, ik zag niets, ik lag maar op dat matras en de touwen deden pijn aan mijn enkels en polsen.

Na een tijdje werd ik rustiger. Dat vond ik wel vreemd. Maar misschien kun je niet eeuwig bang zijn. Misschien is het net als met hardlopen: je kunt het niet de hele tijd blijven doen. Dus werd ik rustiger en ik vond een houding waarin ik best lekker lag. Ik begon na te denken.

Nu wist ik dus dat ik al die dagen twee mannen had geschaduwd. Deze man, die dacht dat ik een jongetje was, en Winston, die mij gistermiddag 'meisje' had genoemd – dat was het! Dat was het vreemde waar ik de hele tijd over had zitten denken!

'Ik heb liever niet dat jullie hier komen spelen, meisje...' Toen hij dat zei, had ik meteen moeten weten dat hij niet dezelfde man was als die van een week geleden. En zijn stem was ook anders! Bovendien herkende hij me niet, dus hij had nooit bij ons in de tuin rondgesnuffeld en een peuk achtergelaten. Hij had ook geen sigaret opgestoken toen ik in de deur stond met Sint-Maarten. Hij rookte niet eens, had David gezegd.

En dan noem ik hem Winston!

Maar wie was dan deze man? Het moest wel een van de boeven zijn. De man waar Winston op wachtte. En ik wist precies hoe alles in elkaar zat. Hij kon me eigenlijk nooit meer laten gaan.

Het wachten duurde lang. Ik wist niet hoe lang precies, want ik kon niet op mijn horloge kijken. Nu heb ik uitgerekend dat ik bijna drie uur alleen in dat hol heb gelegen. En al die tijd gebeurde er niets. Ik werd al een beetje bang dat er nooit meer iemand zou komen, dat ik dood zou gaan van dorst en honger. Dat ik levend begraven was.

Maar eindelijk werd het luik weer geopend en stroomde het zonlicht naar binnen. Ik voelde de warmte op mijn gezicht en hoewel ik nog steeds geblinddoekt was, moest ik mijn ogen dichtknijpen.

'Ben je lekker uitgerust, ventje?' vroeg de man met de schorre stem. 'Heb je een beetje nagedacht over je domme nieuwsgierigheid? Je mag van geluk spreken dat je me niet gezien hebt, anders was het slecht met je afgelopen.'

Ik hoorde hoe hij met de vuilniszakken begon te slepen. Een andere stem, van buiten het hol, vroeg: 'Lukt het een beetje daarbinnen?'

'Pak maar aan,' zei de man met de schorre stem.

Het duurde even voor de mannen alle zakken uit het hol gehaald hadden. Hoe gingen ze die in één keer door het bos vervoeren? Dan moesten ze toch minstens met z'n vieren zijn.

'We gaan verkassen, kereltje,' zei de man met de schorre stem. 'Nou jij dit plekje gevonden hebt, kunnen we onze mooie spullen hier niet meer laten liggen. We vertrekken nu, maar we zullen over een uurtje wel een telefoontje plegen naar de plaatselijke veldwachter, dan kunnen ze je komen halen. Het is dus een kwestie van geduld hebben. Ik hoop wel dat je geleerd hebt je niet met andermans zaken te bemoeien. En o ja, geen woord over mij tegen de politie. Ik weet waar je woont met je lieve vader en moeder, vergeet dat niet.'

Hij trok de matras en de slaapzak met een ruk onder me vandaan, zodat ik nogal hard op het vochtige zand terechtkwam. Toen hoorde ik hem het hol uitklimmen. Het luik bleef open.

Nu was ik weer alleen, maar dat duurde niet lang.
Wacht even, ik hoor mama roepen.

– Maandag 19 november, 19.46 uur

Toen ik vanochtend beneden kwam, zaten er twee mannen aan de keukentafel. De ene was de vader van de tweeling, meneer Van Zanten. De andere was Winston, die zich voorstelde als Willem Jan van Baalen.

(Maar ik blijf hem gewoon Winston noemen.)

Mama had koffie gezet en ik kreeg cola, terwijl ik dat anders 's ochtends nooit mag hebben.

'Hoe gaat het ermee, meisje?' vroeg meneer Van Zanten. 'Ben je al een beetje bijgekomen van al je avonturen?'

Ik knikte. Ik voelde me klein tegenover die twee mannen. Gelukkig kwam mama naast me zitten. Ze klopte me even zachtjes op mijn been en glimlachte naar me.

'Ik heb je gisteren maar even gesproken, omdat je doodmoe was en in de war,' ging meneer Van Zanten verder, 'maar we willen toch graag je hele verhaal horen.'

'Zal ik mijn dagboek halen?' vroeg ik. 'Daar staat alles in.'

Dat vond meneer Van Zanten een goed idee. Ik haalde dit dagboek op en gaf het aan de politieman.

'Let maar niet op de waarschuwing voorin,' zei ik.

Meneer Van Zanten bekeek de eerste bladzijde en glimlachte. Daarna bladerde hij de rest van het dagboek door. Af en toe las hij een stukje. Toen sloeg hij het met een klap dicht.

'Ik wil hier graag fotokopieën van maken,' zei hij. 'Mag dat? Ik beloof je dat ik er niemand anders in zal laten lezen.'

Ik knikte weer.

'En dan zal ik je nu onze kant van het verhaal vertellen. Want ik neem aan dat je wel wilt weten hoe we je gevonden hebben.'

'Omdat Winston wist waar ik was,' zei ik.

'Wie?' vroeg meneer Van Zanten.

Ik kreeg een kleur.

'Meneer Van Baalen,' zei ik snel. 'Die was al eerder in dat hol geweest dan ik.'

Winston schudde zijn hoofd.

'Ik heb dat luik wel gezien,' zei hij. 'Maar ik ben het hol niet binnengegaan. Dat leek me meer iets voor de politie. En het was verstandig van je geweest als jij ook zo gedacht had.'

Mijn mond viel open van verbazing.

'En je bent zelf van de politie!'

'Welnee,' zei Winston. 'Ik ben een bioloog en ik doe onderzoek naar vossen. Dat heb ik je zaterdag al gezegd.'

Alles duizelde me. Nu was het toch weer anders dan ik gedacht had! Ik keek van Winston naar meneer Van Zanten en wilde wel honderd dingen vragen, maar het leek of mijn lippen op slot zaten.

'Laat meneer Van Zanten zijn verhaal maar vertellen,' zei mama.

'Wat Willem Jan zegt is waar,' zei meneer Van Zanten. 'Een tijdje terug heb ik hem een brief geschreven om te vragen of hij ons kon helpen. Er werden de laatste tijd veel dode vossen gevonden in de duinen en we waren bang dat de boeren die vergiftigd hadden. Vossen stelen namelijk wel eens een paar kippen. Maar dat is natuurlijk nog geen reden om ze te vermoorden.'

'En verder?' vroeg ik.

'Verder niks,' zei meneer Van Zanten. 'Verder heeft Willem Jan niets met het verhaal te maken. Behalve dan dat hij ons de weg naar het hol kon wijzen.'

'Toen jij gisteren niet thuiskwam voor het middageten,' vertelde mama, 'was ik eerst niet ongerust. Ik dacht dat je naar David gegaan was en ik belde naar De Lindeboom. Davids moeder vertelde dat ze je de hele dag niet gezien had. Toen begon ik me wel zorgen te maken. Ik vroeg David aan de lijn en die wist dat je naar de duinen gegaan was.'

'Ik zat nog te lezen in het café en ik hoorde dat gesprek,' zei Winston. 'Toen David had opgehangen vroeg ik hem wat jij precies in de duinen aan het doen was. Hij was erg zenuwachtig. Ik geloof dat hij me niet helemaal vertrouwde. Maar ten slotte vertelde hij dat jullie mij zaterdag hadden geschaduwd en dat jij was gaan kijken op de plek waar jullie mij waren kwijtgeraakt. En daar schrok ik toen weer van, want ik dacht dat dat hol misschien gebruikt werd door de mensen die de vossen vergiftigden. Misschien lag het wel vol met vergif!'

Winston nam een grote slok van zijn koffie en keek me even aan.

'De eerste keer ben ik niet in dat hol geweest, omdat ik geen sporen wilde uitwissen.'

Ik schaamde me een beetje toen hij dat zei. Natuurlijk mag je nooit sporen uitwissen – en ik had dat wel gedaan. Had ik dan niets geleerd van dat spannende boek? Ik keek voorzichtig naar Winston, maar die had niks in de gaten en vertelde gewoon verder.

'Gistermiddag zou ik met de politie een kijkje gaan nemen. Maar toen ik hoorde dat jij daar misschien was, heb ik meneer Van Zanten gebeld en zijn we meteen naar de duinen vertrokken.'

'Eerst kwamen ze hierlangs,' vertelde mama. 'Papa en ik wilden allebei meegaan, maar meneer Van Zanten zei dat je ook best gewoon thuis zou kunnen komen en dan moest er iemand zijn om je op te vangen. Daarom ben ik hier op je blijven wachten.'

Ik keek naar het tafelblad en zweeg. Ik had er nooit over nagedacht hoeveel mensen naar mij op zoek gegaan waren. Of hoe bang mama en papa waren geweest. Ik schaamde me heel erg, en dat doe ik nog steeds wel een beetje.

'Daarna ging het snel,' zei meneer Van Zanten. 'We vonden het open luik en in het hol lag jij met je zielige vriendje. We hebben je eruit gehaald en om beurten naar huis gedragen, want je was zo stijf en moe dat je niet meer kon lopen. Je kon ons nog net vertellen van de man met de schorre stem en de vuilniszakken.'

'En waar zijn die nu?' vroeg ik.

'Geen idee waar ze zijn gebleven,' zei meneer Van Zanten. 'Maar er zit een heel leger politieagenten achter ze aan, dus die vinden we wel.'

Daarna vertrokken ze, met dit dagboek. En daarnet kwam er een agent aan de deur om het terug te brengen, keurig in een plastic zak met een zegel op de sluiting. Echt alleen meneer Van Zanten heeft erin gelezen.

Hij had er een briefje bij gedaan:

WAT EEN SCHITTEREND VERHAAL HEB JE ERVAN GEMAAKT. VOLGENS MIJ MOET JE SCHRIJVER WORDEN. DAT IS OOK VEEL VEILIGER WERK DAN SCHADUWEN. D. VAN ZANTEN

En nu ga ik slapen, want ik ben moe, zo moe.

– Dinsdag 20 november, 17.32 uur

Ik kom op de televisie! Vanochtend was hier een ploeg van het Jeugdjournaal en ze hebben me van alles gevraagd. Overal stonden lampen en de camera was heel groot. Veel groter dan ik verwacht had.

We zijn ook nog de duinen ingegaan om het luik te filmen. Alleen mochten we er niet in. De politie had overal linten omheen gespannen en er stond een agent op wacht. Om de sporen te beschermen natuurlijk.

Straks gaan mama en ik naar het Jeugdjournaal kijken. Papa kon niet eerder naar huis komen, maar hij kijkt op zijn werk. Dat heeft hij beloofd.

Ik ben nog steeds niet naar school geweest, omdat ik niet goed slaap. Bovendien heb ik blauwe plekken op mijn enkels en mijn polsen. Dat komt nog van de touwen. De dokter zegt dat ik het beste maar een hele week kan uitrusten.

Tussen de middag kwam meester langs met huiswerk. Hij keek ernstig naar me, net alsof hij me straf ging geven. Maar hij bracht wel de groeten van de hele klas, vooral van de tweeling en Ipek en Ruben. De tweeling had het hele verhaal van hun vader gehoord en doorverteld, dus op school weten ze er nu ook van.

'Ze vinden je een held,' zei meester. 'En dat vind ik ook wel, maar ik vind je vooral heel, heel onverstandig. Je had beter moeten weten.'

Daarna ging hij lang met mama zitten praten.

Vanmiddag kwam David op bezoek. Hij had een zak drop bij zich. Ik moest hem alles vertellen, want hij zit niet in mijn klas en daarom had hij niks van de tweeling gehoord. Ik heb hem dit dagboek weer laten lezen.

'Ik ben blij dat ik zondag alles aan Winston heb verteld,' zei David toen hij klaar was met lezen. 'Eerst wilde ik het niet. Ik dacht dat hij de boef was. Maar mijn moeder zei dat ik het moest doen.'

'Goed van je,' zei ik.

'Maar een ding snap ik niet,' zei David. 'Ik lees hier dat meneer Van Zanten zei: "We vonden het open luik en in het hol lag jij met je zielige vriendje." Welk zielige vriendje bedoelt hij? Je was toch al die tijd alleen?'

'De eerste uren wel,' zei ik. 'Maar toen ze de zakken hadden weggehaald, kreeg ik bezoek...'

Ik kon niet verder vertellen. Ik kan er ook nog niet over schrijven. Eerst moet ik de goede woorden vinden en dat duurt misschien nog wel even. Ik heb David beloofd dat ik het hem later zal vertellen, of laten lezen.

Toen hij wegging, kreeg ik weer een zoen van hem. En hij aaide me ook nog even over mijn blauwe polsen. Heel zachtjes. Ik voelde me weer net als die eerste keer, slap en nikserig. Maar nu kwam er een gevoel bij, een rare kriebel ergens achter mijn navel. Als een hele rij torentjes die omvielen.

Vlinders in mijn buik.

– Dinsdag 20 november, 20.34 uur

De uitzending was goed, maar erg kort. Ik vond dat ik raar praatte en mijn haar zat ook niet goed, met plukjes opzij. Mama zei dat dat onzin was en dat ik er verrukkelijk uitzag.

De beelden van de duinen en het luik hadden ze spannend gemaakt. Alles was schuin gefilmd en er was enge muziek bij. Ik werd er bang van.

Ze lieten ook een tekening zien van de man met de schorre stem. Daar had Davids vader mee geholpen, want die had de man in zijn café gezien natuurlijk. Hij zag er eigenlijk heel normaal uit, niet als een boef.

David belde meteen om te zeggen dat hij had gekeken. De tweeling belde daarna. En de oma's en nog meer familie.

Tante Nelleke was trots.

'Zie je nou dat een dagboek echt iets voor jou is,' zei ze. 'Ik ben blij dat ik het je gegeven heb.'

Ik ben er nu zelf ook wel blij mee. Ze zei ook nog dat ze al een nieuw voor me had gekocht, omdat het al bijna vol zou zijn met zoveel avonturen. Dat klopt.

Papa kwam thuis en noemde mij een televisiester.

Het journaal voor grote mensen had nog meer nieuws: ze hebben de boeven gepakt! De politie had een bericht uitgezonden dat iedereen moest uitkijken naar een blanke man met een schorre stem die Winstonsigaretten rookte. Ze hadden ook die tekening laten zien.

Er werd meteen gebeld door de baas van een benzinestation die vertelde dat zo'n man net bij hem in de zaak was geweest. Hij wist zelfs in wat voor auto die man reed! Toen was het makkelijk om de boeven te vinden. Ze hadden al het geld nog bij zich, in de vuilniszakken in de laadruimte van hun auto.

'En er is een beloning uitgeloofd,' zei papa. 'Ik denk dat die man van dat benzinestation daar wat van krijgt. En jij ook.'

Ik trok zeker een verbaasd gezicht, want mama en papa begonnen allebei te lachen.

'Ja, zo gaat dat,' zei mama. 'Als je helpt om misdadigers op te sporen, kun je daar een beloning voor krijgen.'

Daar wist ik niets van. Eigenlijk vond ik het een beetje een raar idee. Geld krijgen voor zoiets!

'En hoeveel dan?' vroeg ik.

'Dat weet ik niet,' zei papa. 'Dat zul je wel van meneer Van Zanten te horen krijgen.'

Ik weet niet of ik nou blij moet zijn.

– *Woensdag 21 november, 01.57 uur*

Ik zou nog vertellen over dat zielige vriendje van mij. Ik heb er lang over nagedacht en toen heb ik iets opgeschreven.

Het is per ongeluk een gedichtje geworden. Dit is het:

Dag vos

Lieve vos,
zo ziek was jij.
Maar ook zo heel erg
dicht bij mij
dat ik de geur rook
van je vacht.
Je had zo'n pijn,
je piepte zacht.
We waren allebei
alleen.
Ik dacht mijn armen om je heen.
Dat ik je voelde
en niet zag,
toen jij,
als een schaduw,
naast me lag.

Toen ze mij kwamen redden, was de vos dood. Winston
zei dat hij vergiftigd was.

Ik geef het geld van mijn beloning aan de Dieren-
bescherming.

Bijna een maand heeft dit nieuwe dagboek al op me liggen wachten. Ik had gewoon geen zin.

Er is ook niks gebeurd. Met David is het nog aan, gelukkig. Op school hebben we een project over water gehad. Dat was saai. Ruben en Ipek hadden ruzie, maar het is weer goed. De helft van de tweeling kreeg een gat in haar kop met gym.

Allemaal niks voor in een dagboek. Maar ja, nu heb ik het toch opgeschreven. De waarschuwing voorin heb ik doorgestreept. Kinderachtig.

Ik heb een beloning gekregen. Heel erg verschrikkelijk veel geld. Ik moest het op de bank zetten. Voor later. Ik wil er zelf liever van op reis.

'Dat kan ook, later,' zei papa. 'Of al snel.'

Toen vertelde hij dat hij een week vakantie op de Canarische Eilanden had geboekt. Nu, met de kerst.

Daarom ben ik toch maar weer aan dit dagboek begonnen. Ik vind op reis gaan spannend, en de Canarische Eilanden liggen ver weg. Meer dan vier uur vliegen van hier.

Over een paar uur vertrekken we al. Ik heb morgen speciaal vrij gekregen en ik kan vanavond niet naar de kerstmaaltijd op school. Nou ja, pech. Het is toch altijd patat. Op de Canarische Eilanden is het eten vast veel spannender!

Nu stop ik, want ik moet nog ontzettend veel inpakken.

En ik werd natuurlijk weer misselijk. Het was de hele reis juist zo goed gegaan. In het vliegtuig voelde ik me prima, ik heb gewoon naar de oude Mr Beanfilmpjes zitten kijken. De slappe patat van het kindermenu heb ik ook opgegeten. (Toch nog patat dus!) En de bus op Tenerife reed hard, maar daardoor waren we wel lekker snel in het hotel.

Wel
Lekker snel
In het hotel

Zelfs toen er op de televisie in onze kamer opeens een rare seksfilm kwam, werd ik niet ziek. We misten vanochtend de bus die ons naar de boot zou brengen en daar werd papa een beetje chagrijnig van, maar mama en ik bleven lachen. Ook in de taxi was er niets aan de hand. Het was ook maar een ritje van tien minuten.

En toen kwamen we bij de haven en de boot lag er al. Een grote, gele boot. We moesten over een eng hoge trap aan boord klimmen.

'Zie je die golven?' vroeg papa om mij te pesten.

Ik voelde het meteen al kriebelen in mijn maag. Maar ik werd niet zick. We waren bijna een uur op zee en ik werd niet ziek. Ik heb zelfs gewoon een glas cola gedronken halverwege de overtocht! Toen we op La Gomera aan land stapten, voelde ik me zo fris als wat. Echt waar.

'Mijn grote reizigster,' zei mama lief.

Maar ja, we waren er nog niet. Papa had bij het reisbureau net weer een plaatsje uitgezocht dat aan de verkeerde kant van het eiland ligt. We moesten in een klein busje, met nog een paar Nederlanders.

En toen ging het mis.

La Gomera is eigenlijk geen eiland. Het is gewoon een grote berg die boven zee uitsteekt. Er bestaan dus ook geen rechte wegen op La Gomera, er zijn alleen bergweggetjes. En de chauffeur van het kleine busje had nogal haast. Ik slingerde alle kanten op.

'Kijk naar buiten,' zei mama. 'Het is hier zo prachtig. Dan vergeet je je maag wel.'

Het lukte niet. Ik voelde hoe het bloed langzaam wegtrok uit mijn gezicht en bij bocht nummer driehonderdeenenzestig moest ik spugen. In de eerste plastic tas die ik te pakken kon krijgen, de gele Schipholtas.

'Gatver!' riep papa. Hij trok zijn benen op, terwijl ik niet eens spetterde.

'Het kind kan er niks aan doen,' zei mama. Ze gaf me een zakdoekje om mijn mond mee af te vegen.

Gelukkig stopte het busje bijna meteen daarna bij ons appartement, zodat ik de frisse lucht in kon. En daar zit ik nu nog, boven op het dak bij het zwembad. De zon schijnt, het is echt warm, en in de verte spatten de golven van de oceaan tegen de zwarte rotsen.

We zijn op La Gomera, bijna het kleinste van de Canarische Eilanden, en het heet hier Playa de Valle de Gran Rey. Ofwel het Strand van de Vallei van de Grote Koning. Dat heb ik overgeschreven uit de reisgids. We gaan hier zwemmen en rondkijken en uitrusten. En Kerstmis vieren dus.

Ik heb van oma geld meegekregen, ze geeft altijd iets als ik op vakantie ga. Daar wil ik hier een mooie portemonnee van kopen. Als die tenminste niet te duur is, want er moet geld overblijven om erin te stoppen.

Papa ligt naast me te slapen op een ligstoel en mama is hier vlak onder, in ons appartement met de gele gordijnen, en spoelt haar taxfree gekochte parfummetjes schoon. Ik denk dat ik maar eens even ga zwemmen.

Ik zit bij het raam aan de straatkant en kijk naar de winkel hier recht tegenover. *Bazar Hamburgo* heet die en je kunt er tassen kopen die volgens mama schandelijk duur zijn. Er zijn dan ook bijna nooit klanten. Af en toe loopt er een toerist naar binnen, maar die komt er dan meestal snel weer uit.

'Op een holletje,' zegt mama.

De baas van de winkel, meneer Hamburgo zeg maar, staat de hele dag op de stoep, tussen zijn uitgestalde tassen, en rookt sigaretjes. Elke paar uur ruimt hij met veger en blik de peuken op.

'Wat een wereldbaan,' zei papa vanmiddag. 'Ik ga die zaak kopen!'

'Niks daarvan,' zei mama. 'Dan wil je toch weer winst maken en dat lukt je natuurlijk ook nog, en voor je het weet werk jij weer net zo hard als in Nederland.'

'Je hebt waarschijnlijk gelijk,' zei papa lachend.

Nu wordt het langzaam donker in het straatje. Meneer Hamburgo is bezig met een lange stok de tassen van de luifel te tillen. Ondertussen maakt hij een praatje met de mevrouw van de supermarkt op de hoek. Ze is een beetje dik en ze lacht de hele tijd, maar ik vind haar niet aardig.

Vanmiddag, toen we macaroni gingen kopen, heeft ze twee keer 'guapo' tegen me gezegd. Dat betekent dat ze me knap vindt, maar ook dat ze denkt dat ik een jongetje ben. Want voor een meisje moet je 'guapa' zeggen, met een a. Met een o is voor jongens.

'Knap is knap,' zei mama. 'Als je niet wilt dat ze je voor een jongen aanzien, moet je je haar laten groeien.'

Zoals Ipek uit mijn klas zeker. Die heeft een vlecht tot op haar billen. Daarom moet ze na het schoolzwemmen altijd honderd uur onder de föhn staan.

Ik wil geen meisje zijn, tenminste geen echt meisjes-meisje. Maar ze moeten wel zien dat ik er eentje bén. Wacht maar tot ik borsten heb.

Nu komt er een jongen aanlopen.

– Vrijdag 21 december, 21.01

Ik was even gestopt vanwege die jongen. Nu lig ik op mijn bed. Het raam staat open en ik hoor nog mensen rondspetteren in het zwembad op het dak. Het is nu donker.

Nou, die jongen kwam uit het steegje dat naar het strand loopt. Het was een jongen van het eiland, met haar zo zwart dat het bijna blauw leek. Hij droeg alleen een spijkerbroek en een wit overhemd. Geen schoenen.

Meneer Hamburgo zei iets tegen hem en de jongen luisterde aandachtig. Daarna knikte hij en liep de winkel in. Na een paar minuten kwam hij weer naar buiten. En toen keek hij omhoog.

Hij keek omhoog, naar mij!

Ik dook meteen weg achter het gordijn. Zo stom! Waarom doe ik nou zulke dingen? Gewoon een jongen die omhoog kijkt. Ik kende hem niet eens! En toch verstop ik me en krijg ik een rooie kop.

Mama had het natuurlijk weer meteen door.

'Wat heb jij opeens?' vroeg ze.

'Niks,' mompelde ik.

Mama keek me zwijgend aan en wandelde naar het raam. Ze keek naar de overkant en draaide zich toen naar me toe.

'Hij staat er nog,' zei ze met dat vervelende glimlachje dat ze soms heeft.

'Heeft ze sjans?' riep papa vanuit de badkamer.

Ik kon ze allebei wel schieten! Ze laten me nooit eens met rust. Waarom moeten ze zich overal mee bemoeien? Waarom is alles wat ik meemaak meteen grappig? Ik werd kwaad.

'Hou je kop allebei!' gilde ik. Dat soort dingen mag ik niet zeggen. Mama kan daar heel boos om worden. Maar nu bleef ze kalm.

'Je hebt gelijk,' zei ze. 'Sorry.'

Ze aaide me over mijn haar en liep terug naar het keukenhoekje om thee te gaan zetten. Ik stak voorzichtig mijn hoofd om het gordijn.

Hij stond er nog. In het licht van een lantaarnpaal lachte hij zijn witte tanden bloot. Hij zwaaide.

Hij zwaaide!

Ik stak ook een slap handje omhoog. Toen klonk de stem van meneer Hamburgo, scherp en hard in de stilte van de avond.

'Miguel!'

De jongen draaide zich om en verdween in de winkel. Ik bleef nog een paar minuten kijken, net zolang tot mijn hart weer gewoon deed en mijn hoofd niet meer zo rood was. De jongen kwam niet terug.

Maar zo heet hij dus:

Miguel.

– Zaterdag 22 december, 11.43 uur

Vanochtend moesten we vroeg op, want een mevrouw van de reisorganisatie ging ons vertellen wat we kunnen gaan doen, deze vakantie. Alleen kwam ze niet naar ons toe, we moesten naar een hotel in een ander dorpje aan de kust. Papa dacht dat het misschien wel een uur lopen was.

'Maar dat is juist goed,' zei hij. 'Dan zien we wat van de omgeving.'

De winkels zijn hier altijd open en mama haalde vers brood. Ik zag haar door de straat lopen. Meneer Hamburgo was alweer bezig met zijn tassen. Hij knikte mama gedag. Miguel was nergens te zien.

Na het ontbijt liepen we naar het strand en vandaar langs de boulevard naar het andere dorp. Het was een wandeling van maar een halfuur, en dan waren we ook nog steeds gestopt om naar de hagedisjes op de stenen te kijken.

'Dat viel mee,' zei papa. 'Je verkijkt je er altijd weer op.'

Bij het andere hotel was een strand dat ze Baby Beach noemen. Het water was ondiep en warm en je kon niet bij de open zee komen, daar lagen grote rotsblokken voor. Er waren maar een paar kinderen, het was nog te vroeg. En het waren ook echt allemaal baby's.

Omdat we lang moesten wachten, trok ik mijn schoenen uit en liep het water in. Tussen de stenen kon je krabbetjes vangen. Ik ging bijna op een grote slak staan die traag over de bodem kroop. Papa zei dat het een zeekomkommer was, maar hij verzint wel vaker achterlijke dingen.

Toen het eindelijk tijd was, staken we de weg over en liepen het hotel binnen. Er was een zitje bij de receptie en daar zat een lange, blonde vrouw die Marie-Louise heette. Ze was niet alleen, de andere Nederlanders uit het busje van gisteren waren er ook.

'Welkom op La Gomera,' zei Marie-Louise stralend. Ze vertelde van alles over excursies met boten en bussen, en ze gaf ons haar telefoonnummer voor als er iets mis zou gaan.

'Wij willen graag een paar dagen een auto huren,' zei mama. 'Kunt u dat voor ons regelen?'

'Dat wordt een probleem,' zei Marie-Louise aarzelend. 'Het is momenteel heel druk op het eiland en er zijn eigenlijk geen auto's meer te krijgen. Maar ik zal mijn best voor u doen.'

Papa werd meteen alweer bozig.

'Hoe kan dat nou,' zei hij. 'Jullie weten toch precies hoeveel mensen er komen?'

'Het is handiger als u de volgende keer al in Nederland een auto reserveert,' zei Marie-Louise rustig. 'Dan weet u zeker dat er eentje voor u klaarstaat.'

'Dat had ik dan graag van tevoren...' begon papa, maar mama legde een hand op zijn arm.

'We wachten rustig af,' zei ze. En vervolgens boekten ze een boottochtje voor maandag en een eilandexcursie voor donderdag.

Een boottochtje! En ik word al misselijk als ik een film over goudvissen zie!

'Ik ga niet op een boot!' riep ik.

'Gisteren ging het toch ook goed?' zei mama.

'En dan donderdag met zo'n bus! Dat ging niet goed, weet je nog wel?'

'Maar ik wil iets zien,' zei papa. 'Ik ga hier niet een week op het strand liggen.'

'De boot gaat op zoek naar dolfijnen en walvissen,' zei mama. 'Daar hou je toch zo van?'

Ja, in het dolfinarium.

'En we gaan barbecuen op zee en zwemmen in een baai,' zei papa.

Zo doen ze dat altijd. Als ik ergens geen zin in heb, gaan ze om het hardst roepen wat er leuk aan is. Dan is het net een hagelbui op je hersenen.

'Ik ga wel mee,' zei ik.

Op de terugweg kreeg ik een ijsje. Een bananenijsje, want de hele vallei staat vol met bananenbomen. De vruchten groeien in grote, groene trossen en de boer heeft er plastic zakken omheen gedaan, zodat het net lijkt of ze niet echt zijn. Dat ze eigenlijk uit de supermarkt komen en voor de show aan de boom geplakt zijn. Maar het ijsje was erg lekker.

In het appartement gingen papa en mama koffiedrinken. Meneer Hamburgo stond weer te roken op de stoep. Hij was alleen.

Straks gaan we met zijn allen naar het strand.

– Zaterdag 22 december, 21.56 uur

Een lange, lange dag vandaag. Eerst met die Marie-Louise vanochtend, en toen aan het strand. Dat is trouwens maar klein, en het zand is zwart. Er is een zeemuur waar het water nooit tegenaan komt en daarachter ligt de promenade. Meer dan een stuk of tien winkeltjes en restaurants zijn er niet.

'Heerlijk,' zei mama. 'Wat een rust.'

Bijna iedereen op het strand was Duits en met Duitsers kun je goed praten. Je moet gewoon de Nederlandse woorden een beetje raar uitspreken, dan begrijpt iedereen je.

Ik kwam twee meisjes tegen die Annalot en Hannelore heetten, echt waar. Ze waren met een schepnet in de branding op zoek naar garnaaltjes.

'Hebben jullie wat gevangen?' vroeg ik en dat verstonden ze meteen.

'Koek mal,' zeiden ze. Ik begreep dat dat 'kijk maar' betekende, want ze lieten hun emmer zien. 'Koek mal', zie je wel, je moet gewoon raar praten.

Papa kwam ook even zwemmen, maar mama lag de hele middag op haar handdoek te slapen. Ze stond alleen even op om in het appartement te gaan plassen. Toen ze terugkwam, had ze stokbroodjes met kaas meegebracht.

Papa belde met oma in Zuideroog. Ze zei dat het sneeuwde in Nederland, maar het was natte sneeuw en er bleef niets van liggen. Verder was het daar heel koud.

'Dat is fijn om te weten,' zei papa tegen haar. 'Ik denk dat ik nog maar eens een duik neem, om een beetje af te koelen. Het is hier bijna niet uit te houden, zo warm.'

Oma moest zo hard lachen dat ik het zelfs kon horen.

Om zeven uur begon de zon te zakken. Papa zocht de strandspullen bij elkaar en bracht ze terug naar het appartement. Mama en ik gingen op een terrasje aan de promenade zitten.

'Hoe vind je het hier?' vroeg mama.

'Leuk,' zei ik.

Ik dacht aan Miguel en hoe hij naar me gezwaaid had, met zijn tanden bloot. En toen kwam hij zomaar langs wandelen.

Miguel wandelde langs!

Als het gekund had, was ik in mijn glas cola gedoken. Maar hij zag me zitten en lachte. O, zoals die jongen lacht...

'Ola,' zei mama.

Spaans praten is ook makkelijk. Je moet alles gewoon omdraaien.

Miguel maakte een kleine buiging naar mama. Daarna ging hij op de zeemuur zitten, met zijn rug naar ons toe.

'Het is een heer,' zei mama. 'Wil je niet even bij hem zitten?'

Ik schudde zo hard van nee dat mijn oren er bijna af vlogen. Net op dat moment keek Miguel om en glimlachte weer.

'Volgens mij wacht hij daarop,' zei mama.

'Ik kan niet met hem praten,' fluisterde ik. Want eigenlijk is Spaans heel moeilijk.

'Daar heb je je handen voor,' zei mama. 'Vooruit, papa is toch nog aan het douchen. Straks gaan we eten, dan heb je geen tijd meer.'

Maar ik ging niet. Achteraf kan ik mezelf wel voor mijn kop slaan, maar ik ging niet. Als mama niet zo had doorgezeurd, was ik misschien wél gegaan. Ik bleef zitten en dronk zwijgend mijn glas cola leeg.

Miguel keek nog een paar keer om. Toen hij begreep dat ik niet zou komen, stond hij op en slenterde verder langs de promenade. Bij het basketbalveldje verloor ik hem uit het oog tussen de andere jongens.

'Hij zegt niet veel,' zei mama peinzend.

'En jij juist wel,' zei ik boos.

Mama lachte.

Op het strand begonnen een paar mannen te trommelen. Van alle kanten stroomden de mensen toe om te luisteren. Ze zaten op het strand en op de zeemuur. Hier en daar werden kampvuurtjes aangestoken.

'Oude hippies,' zei mama. 'Dat stond al in de reisgids. Dit is het eiland van de oude hippies.'

'Wat zijn hippies?' vroeg ik.

'Lang geleden, toen ik nog een klein meisje was, waren er veel mensen die alleen maar geloofden in de liefde. Ze wilden geen geld verdienen of belangrijk zijn. Ze staken bloemen in hun haar en droegen kleurige kleren. Dat was hip, zo heette dat toen. De hele dag deden ze niets anders dan muziek maken, praten en vrijen. Nu zijn de meeste mensen heel anders, ze willen een mooie auto en een groot huis en met kerstmis naar de Canarische Eilanden. Maar sommige zijn niet veranderd. Die doen nog net als toen, ook al zijn ze nu oud. Oude hippies. Daar heb je ze.'

Op het strand werd nu gedanst, in het laatste zonlicht. Ik zag vrouwen in oranje en groene rokken wild in het rond draaien. Hun lange haren waren zilverwit als manestralen.

'Waarom ben jij geen oude hippie?' vroeg ik.

'Ik ben nooit een hippie geweest,' zei mama. 'Ik was nog maar een meisje toen. Je tante Nelleke wel.'

Dat geloofde ik niet. Tante Nelleke is heel netjes. Ze heeft kort haar en draagt altijd mooie pakken en parelkettinkjes. Ik kon me niet voorstellen dat ze ooit een hippie was geweest.

'In haar hart is ze het nog steeds,' zei mama. 'Daarom is het ook zo'n lieverd.'

Toen kwam papa terug, in zijn zomerbroek en met natte haren. We gingen naar een restaurant waar ze ook pizza's hadden. Ik nam er eentje met salami en mama wilde alleen een salade met veel tomaten. Papa wilde natuurlijk weer iets bijzonders. Hij bestelde geitenvlees. Hij zei dat het erg lekker was, maar ik vond het zielig. Voor het geitje, niet voor papa.

Miguel kwam niet nog een keer langs. We kochten een kaart voor David, en voor oma en tante Nelleke en nog wat mensen. Ik ga straks meteen aan het schrijven. Nóg meer schrijven...

– Zondag 23 december, 17.32 uur

Toen ik vanochtend wakker werd, zat papa al in de woonkamer een reisgids door te bladeren.

'Zo, mop,' zei hij. 'Eindelijk wakker? Neem maar een stevig ontbijt, want vandaag mag je ertegenaan!'

Meestal is het slecht nieuws als papa zoiets zegt. Van de zomer in Frankrijk had hij ook iets bedacht. Toen moesten we tegen een berg op fietsen die papa zo vaak op televisie had gezien, bij de Tour de France. Nog voor de eerste bocht stapte hij zelf af. Het was toch een beetje zwaarder dan hij gedacht had. Mama en ik vonden het niet erg dat we niet verder hoefden te fietsen, maar papa bleef de hele dag mopperen.

'Wat gaan we doen?' vroeg ik voorzichtig.

'Een berg beklimmen,' zei papa stralend. 'Een berg van kale rotsen. Maar het lijkt moeilijker dan het is, staat hier. Voor de geoefende wandelaar is het goed te doen.'

'Ik ben geen geoefende wandelaar,' zei ik.

'Zeur niet,' zei papa. 'Jij hebt jonge benen.'

Mama kwam onder de douche vandaan.

'Heeft papa al verteld wat we gaan doen?' vroeg ze.

'Ze is wild-enthousiast,' zei papa.

Ik begreep dat er niets aan te doen was. Aan de overkant van de straat was meneer Hamburgo alweer met zijn spullen bezig. De winkels zijn hier altijd open. Terwijl ik naar hem stond te kijken, kwam Miguel naar buiten.

Hij zwaaide.

Natuurlijk.

En ik zwaaide terug. Ik verstopte me niet, ik stak gewoon mijn hand omhoog. Ik geloof zelfs dat ik glimlachte. Miguel maakte weer zijn kleine buiging en holde er toen vandoor, richting het strand.

Ik vraag me af wat Miguel de hele dag doet. Hij heeft natuurlijk ook vakantie. Gisteren heb ik hem niet gezien, totdat hij opeens bij het terras opdook. En het dorpje is zo klein dat iedereen een paar keer per dag langs het strand komt. Er woont hier een oud vrouwtje met een zwarte snor dat ik al zes keer heb gezien. Maar Miguel is er alleen 's avonds, lijkt het.

Misschien heeft hij een baantje in een van de winkels.

Of misschien heeft hij een vriendinnetje in een ander dorp... Niet aan denken. Verder met de dag.

Ik postte de kaarten en daarna bestelde papa een taxi die ons een eind de vallei uit bracht, langs de weg met de haarspeldbochten. Mijn maag hield zich gelukkig goed. Hoog op de berg was het weer niet zo mooi als aan het strand en er stond een stevige wind. De taxi stopte net buiten een klein dorp, bij een steil weggetje waar wat oude huizen aan stonden. Mama betaalde de chauffeur en we stapten uit.

'Zie je hem?' vroeg papa. 'La Fortaleza, de heilige berg. Als we daarbovenop staan, kun je het hele eiland zien. En er zijn nog spannende ruïnes ook, van ontzettend lang geleden. Kom maar op!'

Hoog boven ons zag ik een loodrechte, grijze bergwand. Hier en daar groeide een verwaaide boom, maar verder leek het niets dan steen.

'Moeten we daar omhoog?' vroeg mama.

'Het lijkt erger dan het is,' zei papa. 'Dat stond in de reisgids.'

Er kwamen twee oude mensen in regenjasjes naar beneden gelopen. Ze zeiden ons gedag in het Engels.

'Die zijn boven geweest,' zei papa. 'Als zij het kunnen, kunnen wij het ook.'

Hij begon meteen te lopen. Mama en ik volgden hem gedwee. Het was vermoeiend, maar er was ook genoeg te zien. Eerst de huizen van gestapelde stenen, en daarna de akkers en velden met hier en daar wat geiten erop. Ik moest meteen weer aan het restaurant denken. Arme geiten...

We waren al aardig hoog toen papa van het pad af stapte en een uitgesleten spoor in de berg begon te volgen.

'Hier begint het echt,' riep hij vrolijk.

De bergwand was nu recht boven ons. Papa wees naar een paar gekleurde stipjes die zich langzaam langs de stenen voortbewogen.

'Daar gaan mensen,' zei hij. 'Daar loopt het pad.'

'Het is net confetti op reis,' zei ik.

Mama lachte wel, maar ik zag dat ze zenuwachtig was.

'Is dit nou verstandig?' vroeg ze.

Ik begon de wandeling eigenlijk wel leuk te vinden. We waren ondertussen al zo hoog dat ik ons strand kon zien liggen, ver weg, over een lagere bergkam heen. Misschien stond Miguel nu wel naar deze berg te kijken. Voor de zekerheid stak ik mijn hand op.

Onder aan de rotswand ging papa zitten.

'Het grootste stuk hebben we gehad,' zei hij. 'We drinken hier wat, en dan gaan we in één ruk naar de top.'

Mama pakte de rugzak uit. Ze had voor ons alledrie een flesje bronwater.

Vanaf de plek waar we zaten keken we naar het binnenland. Overal zag je hoge bergtoppen en diepe dalen. Flarden mist en regen dreven ertussendoor. Ik dacht aan thuis, aan de wolkjes gekleurde verf in het bakje spoelwater op mama's werktafel. En mama dacht daar zelf ook aan.

'Dit zou ik willen schilderen,' zei ze. 'Hoewel het toch nooit lukt. Verf is te plat voor zo'n landschap, je moet er echt zelf in staan om die diepte te ervaren.'

Ik begrijp ongeveer wat ze bedoelde. Op een tekening kun je nooit echt zien hoe groot iets is, het blijft altijd een plaatje. Ik heb een keer in een museum een enorm schilderij gezien dat bijna helemaal rood was, met alleen een streep blauw en geel aan de zijkanten. Daar had ik het wel bij, van dat schilderij werd ik opeens heel klein. Maar als mama dit landschap zou schilderen, zou er niet veel van overblijven. Terwijl mama erg mooi kan schilderen, want het is haar werk.

'Klaar voor de laatste etappe?' riep papa. Hij stopte de lege flesjes terug in de rugzak en slingerde die over zijn schouders.

Mama en ik sloegen het zand en de grasjes van onze kont en klommen achter hem aan. De eerste meters gingen goed, we trokken ons omhoog tussen grote rotsblokken. Maar toen stonden we opeens op een scheef stuk steen dat steil omhoog liep. Links was de gladde rotswand en rechts was een peilloos diepe afgrond. Papa stond stil en draaide zich behoedzaam om. De wind rukte aan zijn broekspijpen.

'Misschien is dit niet het goede pad,' riep hij naar mama en mij.

'Ik heb geen ander pad gezien,' schreeuwde mama terug. Ze hield me stevig vast aan de capuchon van mijn zomerjack.

Papa keek vertwijfeld om zich heen. Hij mompelde iets.

'Wat zeg je?' riep mama.

'Ik vind dit niks,' zei papa. 'Ik kom terug.'

Met knikkende knieën kwam hij naar beneden geschuifeld en even later zaten we weer op het plekje waar we gedronken hadden. De zon was wat sterker geworden en de nevelslierten losten langzaam op.

'Schitterend, hè,' zei mama.

Papa zei niets terug. Hij zat met een wit gezicht voor zich uit te staren. Toen stond hij zwijgend op en begon de berg af te wandelen.

Halverwege kwamen we een groepje Duitsers tegen.

'Wie iest es oben?' vroegen ze, terwijl ze naar de rotswand wezen.

'Seer sjeun,' zei papa stijfjes.

'Betekent dat eng?' vroeg ik.

Mama lachte, maar papa liep met een boos gezicht

verder. In het dorp belde hij een taxi. Mama en ik maakten een hinkelbaan op een pleintje bij de kerk. Papa deed niet mee.

En hij is nog steeds boos. Hij zit op de bank naar een domme Spaanse serie te kijken. Mama en ik gaan straks naar een winkel om een leuke portemonnee voor mij te kopen. Papa wil vast niet mee.

Mama heeft me verteld dat 'sjeun' gewoon 'mooi' betekent. En het was ook een mooie berg, La Fortaleza. Alleen een beetje eng.

– Zondag 23 december, 22.19 uur

Het is laat, maar ik ga nog niet slapen. Ik moet eerst van vanavond vertellen. Het was absoluut de meest geweldige avond aller tijden. En mama is een schat.

Eerst gingen we samen naar de souvenirwinkel aan de promenade.

We vonden wat portemonnees, maar die zagen er zo goedkoop uit.

'Goedkoop, duurkoop, overmorgen stuk,' zong mama. Dat is een liedje dat ze ergens van kent. Ze zingt het vaak als ik iets moois wil hebben.

'Misschien moeten we toch bij meneer Hamburgo langs,' zei ik voorzichtig. Mama keek me lachend aan.

'Misschien wel,' zei ze. 'Wil je eerst iets drinken?'

We gingen zitten op het zelfde terras als gisteravond. De trommelaars sloegen de vonken uit hun vingers en boven een vuurtje op het strand waren een paar jongens een grote vis aan het roosteren.

'Je gelooft toch niet dat het bijna Kerstmis is,' zuchtte mama terwijl ze met me proostte. 'Het lijkt wel mei.'

Ik keek naar de zon die als een enorme oranje strandbal boven de horizon hing. Thuis in Zuideroog blies de oostenwind natte sneeuw voor zich uit, stelde ik me voor. Oma zat te bibberen bij de centrale verwarming. Mama bestelde nog een witte wijn. Met ijs.

Ik schrok niet eens toen Miguel opeens naast ons tafeltje stond. Hij boog en glimlachte weer. En nu deed hij ook nog iets anders: hij stak zijn hand naar me uit.

'Ga maar,' zei mama. 'Weet je de weg naar het appartement?'

Ik knikte. Hoek om, steegje door, simpel zat. La Gomera is veel te klein om er te kunnen verdwalen.

'Over een uurtje thuis,' zei mama. 'Voor het donker is, begrepen? En hier, ga maar iets drinken samen.'

Ze stak me een biljet van vijf euro toe. Ik propte het in mijn zak, gaf haar een zoen en stond op. Miguel straalde. Hij boog nog een keer naar mama en trok me toen mee, langs de promenade en over het strand naar de trommelaars.

Bij het vuurtje met de vis liet hij zich op het zand vallen en gebaarde met zijn hand dat ik naast hem moest komen zitten. Twee jongens die met de vis bezig waren, glimlachten naar me. Ze zeiden iets in het Spaans tegen Miguel. Hij lachte en knikte.

'Spreggen doits?' vroeg een van de jongens aan me.

Ik knikte, Duits spreken is makkelijk genoeg. Zelfs Spaanse jongens kunnen het.

'Miguel spreggen niechts,' zei de jongen weer. Hij legde zijn vinger op zijn lippen. 'Niechts.'

Ik keek opzij naar Miguel. Hij staarde in het vuur en knikte langzaam. Toen tuitte hij zijn lippen en begon te fluiten.

Wist ik nou maar hoe ik dat fluiten moest beschrijven! Ik zit er al de hele avond aan te denken. Het was niet zoals die kunstfluiters die je wel eens op de televisie ziet.

En het was ook niet zoals iedereen fluit, bij de afwas of bij het neuspeuteren zoals papa. Het was ook niet als een vogel.

Maar het was mooi, met op- en neergaande tonen, met rare buiginkjes en lange trillers. Eigenlijk was het, bedenk ik me nu, als het eiland zelf, met hoge toppen en diepe valleien, met slingerweggetjes, met het geluid van de branding en de meeuwen daarbovenuit.

En terwijl hij floot, vergat ik waar ik was. Het was of ik hoog de lucht in werd getild, alsof een warme wind me meevoerde naar een andere wereld, een andere tijd.

Toen Miguel ophield had ik tranen in mijn ogen. Stom hè, gewoon omdat hij zo mooi kon fluiten. Miguel zag het en lachte weer naar me. Dat kan hij ook goed, lachen. De andere jongens boden me een stuk geroosterde vis aan.

'Biete,' zeiden ze, maar er was geen groente bij. De vis smaakte geweldig, het was echt het lekkerste wat ik ooit heb gegeten.

Toen de zon bijna weg was, stond Miguel op en nam me mee terug naar de promenade. Bij een poster in het raam van een restaurant bleef hij staan. Er stond een klein schip op afgebeeld, midden tussen springende dolfijnen. *Tina*, stond erboven. Miguel wees op het schip en daarna op zichzelf.

'Is dat jouw schip?' vroeg ik.

Een stomme vraag natuurlijk, hoe moest hij nou zo'n schip betalen. Maar Miguel knikte blij.

Hij bracht me tot aan de deur van ons appartement. Mama deed meteen open, ze had ons natuurlijk al op straat gezien.

'Hoe was het?' vroeg ze.

Ik kon het niet zeggen. Ik had er gewoon de woorden niet voor. Mama streek Miguel even over zijn haar.

'Bwenos notsjes,' zei ze.

Hij draaide zich om en liep de trap af. Ik rende meteen naar het raam om hem de winkel te zien binnengaan. Hij zwaaide en ik zwaaide terug.

'Veilig thuis,' zei papa terwijl hij een krop sla stond te wassen. 'Dat valt niet tegen.'

'Hou op,' zei mama. 'Het is een schat van een jongen, dat zie je toch.'

'Jij weet dat soort dingen', bromde papa.

Ik begreep dat ze ruzie hadden gemaakt, omdat papa het niet goed vond dat mama mij met Miguel mee had laten gaan.

Mama dekte de tafel. Ik zei dat ik al gegeten had, op het strand. Ik had geen honger meer en ik wilde de smaak van de vis zo lang mogelijk in mijn mond houden.

'Ga dan maar lekker vroeg naar bed,' zei mama. 'Morgen wordt het weer een lange dag.'

En ik ben ook vroeg naar bed gegaan. Maar ik kan niet slapen. Ik moet steeds denken aan Miguel. Hoe hij lacht, hoe hij fluit.

En er is nog iets. Iets wat papa zei, vlak voordat ik ging douchen.

'Ja, probeer maar goed te slapen,' zei hij. 'De *Tina* vertrekt om negen uur.'

De *Tina*! We varen morgen met de *Tina*!

– Maandag 24 december, 20.18 uur

Hij fluit de golven langs de boeg
en de dolfijnen uit het water.
Altijd blijft het 's ochtends vroeg
en er bestaat geen later.

Als ik weer thuis ben, schilder ik dit versje op een groot vel papier en hang ik het boven mijn bed. Dan kan ik ernaar kijken en terugdenken aan vandaag.

DE ABSOLUTE TOPDAG VAN MIJN LEVEN.

Het begon er al mee dat ik wakker werd van papa's gezang in de badkamer. Papa zingt anders echt nooit en hij heeft ook geen mooie stem, maar ik werd er meteen vrolijk van.

'Papa houdt van bootjes,' zei mama terwijl ze sinaasappels stond uit te persen. Vers sinaasappelsap vind ik heerlijk, veel lekkerder dan uit een pak.

Toen ik uit het raam keek, zag ik Miguel op de stoep. Volgens mij had hij op me staan wachten. Hij zwaaide even en rende meteen weg. Naar de *Tina*, dacht ik. En hij wist niet dat ik ook zou komen. Dat wist hij niet!

Papa bakte eieren met gesmolten kaas. Dat is het beste ontbijt dat je kunt krijgen op deze planeet.

Daarna pakte mama de tas in. Ze zei dat ik mijn bikini vast onder mijn kleren moest aantrekken. Want we zouden gaan zwemmen in een baai. En Miguel ook, maar dat wist hij nog niet.

De hele weg naar de haven liep ik te huppelen. En het was een eind verder dan dat hotel zaterdag.

'Ik dacht dat jij geen zin had in een boottochtje,' zei mama. Want zij wist het ook nog niet.

'Des te beter,' zei papa, die ook nergens iets van wist.

Alleen ik wist het, ik alleen. En het zong en buitelde in mijn buik als een clowntje.

Verliefd?

Ja, verliefd. Ik schrijf het nog een keer op.

Verliefd
verliefd
VERLIEFD

Verliefd zijn is net kermis. Dat was toen ook met David, op mijn kamer. David...

Nee. Ik wil niet aan David denken. Ik ben ook verliefd op David, maar nu niet. David is hier niet en hij hoort hier niet. Ik denk alleen aan Miguel en de *Tina* en de dolfijnen. En ik schrijf alles op.

Waar was ik gebleven? O ja, verliefd.

De haven was aan het eind van de vallei, vlak onder de hoge rotsen. Er was een enorme muur van beton en daarachter lagen de schepen. Ik herkende de *Tina* meteen van de poster, een slank scheepje met een open bovendek. Er stonden al wat mensen op de kade, maar Miguel zag ik nergens. Gaf niks, hij zou zo wel komen.

Er was geen loopplank, we moesten met een grote stap aan boord zien te komen. De kapitein gaf me een hand. Ik had liever Miguel gehad om me te helpen, maar die zag ik nog steeds niet.

Het werd behoorlijk druk op de *Tina*. Ik hoorde Engels en vooral veel Duits. Er was ook een oud stel uit Nederland. De vrouw leek een beetje op oma.

Toen iedereen een plekje had, voer de *Tina* uit. Buiten de haven was de zee veel minder vlak. Ik werd behoorlijk heen en weer geschommeld. Ik wilde net een rondje over het schip lopen om Miguel te zoeken toen de deur van de kombuis openging. Dat is gewoon de keuken, maar omdat het op een schip is, moet je kombuis zeggen. Soms leer ik wel eens iets van papa.

Er stapte een stoere man met blonde haren naar buiten. Hij schonk voor alle passagiers een bekertje koffie in. En van achter zijn brede rug kwam Miguel tevoorschijn. Hij droeg een schaal met cakejes.

'Kijk nou,' zei mama. 'Daar hebben we de jonge prins.'

'Is dat hem?' vroeg papa.

Ik zei niets. Ik keek expres de andere kant op, naar het

kielzog van het schip. Ik wilde dat Miguel mij pas op het allerlaatste moment zou zien. Dat ik een soort verrassing was.

Mama en papa kregen koffie. De stoere man vroeg aan mij of ik iets anders wilde: 'Cola? Orangina?'

'Cakeje,' mompelde ik en toen stond Miguel voor me.

Hij straalde weer, zijn tanden blikkerden in het zonlicht. Net op dat moment danste de *Tina* over een hoge golf en er vielen vier cakejes in mijn schoot. Miguel gebaarde dat ik ze mocht houden en ging verder met zijn ronde. Maar steeds weer keek hij achterom, alsof hij bang was dat ik overboord zou springen als hij me niet in de gaten hield.

'Wat een verrassing,' zei mama.

Ik haalde mijn schouders op.

'Nou, het is een knappe vent, moet ik zeggen,' zei papa. 'Een beetje stilletjes alleen.'

'Hij praat niet,' zei ik.

'Helemaal niet?' vroeg mama.

'Nee,' zei ik. 'Hij fl...'

Nee, ik zei het niet. Het moest geheim blijven.

'Interessant,' zei papa. 'Dat hoor je niet vaak, iemand die alleen maar fl.'

'Flauw,' zei mama.

Daar moesten ze allebei hard om lachen. Soms zijn ze net twee kinderen, samen.

Het duurde lang voor iedereen van cake was voorzien, maar eindelijk kwam Miguel terug. Hij stak weer simpel-

weg zijn hand uit en ik keek vragend naar mama.

'Ga maar,' zei ze. 'We zien je straks wel weer.'

Toen ik nog even omkeek, zag ik hoe ze haar hoofd op papa's schouder legde. Ze vonden het vast niet erg dat ik ze even alleen liet.

Nu moet ik douchen en mijn tanden poetsen.

– Maandag 24 december, 20.56 uur

Waar was ik? O ja, ik ging met Miguel mee.

De hele dag waren we samen. Hij nam me mee naar de stuurhut en de kapitein vertelde een verhaal in het Spaans waar ik totaal niks van begreep. Daarna mocht ik helpen in de kombuis. We moesten tomaten wassen en in stukjes snijden.

We waren er nog maar net mee klaar toen er geschreeuw klonk aan dek. Ik was bang dat er iets misging, maar Miguel pakte me bij de hand en trok me mee naar buiten. We klommen op het gladde dak van de kajuit, waar andere passagiers nooit mogen komen. De *Tina* schommelde behoorlijk en dat was een goed excuus om me aan Miguel vast te grijpen.

En toen zag ik ze, vlak voor de boeg in het felblauwe water: drie, vier grote dolfijnen. Met een sierlijke sprong verdwenen ze onder het schip. Miguel kneep zijn ogen tot spleetjes en draaide zich om. Hij tuurde de zee af. Met zijn sierlijke bruine armen wees hij de kapitein de richting aan. De *Tina* draaide en zocht de dolfijnen weer op.

Zo ging het een halfuur lang. Het witte schip draaide en draaide en voer heen en weer, en steeds opnieuw kwamen de dolfijnen langs, alleen of in groepjes. Alsof ze een spelletje met ons speelden. En al die tijd stond Miguel te gebaren en te wijzen. En hij floot.

Hij floot een lied van de zee, van de dolfijnen. De passagiers beneden ons werden er stil van, ze keken omhoog en zagen ons staan, Miguel en ik, stevig tegen elkaar aan op het dak van de kajuit. Ze lachten naar me. En ook de dolfijnen lachten, ze zwaaiden met hun staarten en maakten buigingen in het water. Ik legde mijn hoofd tegen Miguels borst en luisterde naar zijn hart.

Opeens was het voorbij. Zo gaat dat altijd. Als je denkt dat iets je hele leven mag blijven duren, is het plotseling over. De dolfijnen waren weg, de *Tina* voer weer gewoon rechtuit en Miguel hielp me naar beneden. We moesten de schalen met salade in de kajuit gaan zetten.

Papa kwam een kijkje nemen.

'Dat ziet er lekker uit,' zei hij. 'Enne, hij fl erg mooi, die jongen van je.'

De *Tina* ging voor anker in een kleine baai waar geen golven waren. De kapitein liet een trapje zakken en overal begonnen mensen zich om te kleden. Binnen een minuut lagen de eersten al in het water. Ik keek over de reling. Het water was zo helder dat je de rotsen op de bodem kon zien liggen. Er zwommen best grote vissen rond, maar die schoten weg zodra er een zwemmer aan kwam.

Miguel kwam naast me staan. Hij had ook zijn zwembroek aangetrokken. In elke hand droeg hij een duikbril met een snorkel. Ik trok snel mijn kleren uit en samen sprongen we in zee.

Het water was warm, warmer dan het water in het

zwembad op het dak. Ik deed de duikbril op, maar echt onder water kijken durfde ik niet. Ik was bang dat ik iets zou zien.

Miguel dook wel en soms bleef hij zo lang onder water dat ik dacht dat hij verdronken was.

Maar nu roept mama dat het licht uit moet.

– Eerste kerstdag, 11.42 uur

Weet je wat het probleem is met een dagboek? Als er veel gebeurt, heb je geen tijd om erover te schrijven. En als je daar wel tijd voor hebt, gebeurt er dus zo weinig dat er bijna niks te schrijven valt.

Ik had nog willen vertellen van de barbecue op de boot, met die lekkere tonijn. En van de schelp die Miguel voor me heeft opgedoken. Maar ik heb er vandaag geen zin in.

Vrolijk kerstfeest. Mama is druk in de weer om een kerstdiner te maken, wat moeilijk is in dat kleine keukentje. En papa heeft een bergwandeling voor zichzelf uitgezocht. Maar het kan ook zijn dat het mama's idee was, omdat ze niemand om zich heen wilde hebben. Ik hoefde niet mee, gelukkig, ik mocht naar het strand.

Maar daar was bijna niemand. Iedereen zat in de kerk, denk ik. Daarom liep ik een stuk langs de vloedlijn en luisterde naar het gerommel van de kiezelstenen. De zee tilt ze steeds een stukje op, en als het water zich dan terugtrekt, klinkt er een geluid als van onweer in de verte.

Ik vond ook een paar schoenen en een hoopje kleding, maar in zee was niemand te zien. Dat was eng, misschien was er iemand verdronken. Maar toen ik terugwandelde, waren ze weg. Dus het was toch goed gegaan.

Eigenlijk verveelde ik me. Mama was niet blij toen ik terugkwam. Ze vond dat ik in de weg liep. Daarom ben ik hier bij het raam gaan zitten schrijven.

Bazar Hamburgo is dicht. De hoge rotswand erachter gloeit in het zonlicht. Elk uur van de dag ziet hij er anders uit en 's nachts verdwijnt hij langzaam, tot hij zo zwart is als de hemel. Dan kun je hem echt niet meer zien, je weet alleen dat hij er nog is omdat je daar geen sterren ziet.

Nu komt er een jongen op een crossfiets aan. Hij laat zijn bel rinkelen in de stille straat. Uit het huis naar de Bazar komt een meisje naar buiten. Ze blijft boven aan het trapje staan. De jongen laat zijn fiets op het asfalt vallen en rent omhoog. Ze zoenen. Heel lang. Nu lopen ze samen naar de crossfiets. Het meisje gaat op het stuur zitten en zo rijden ze weg. Ze zoenen nog steeds, alsof ze met hun beugels aan elkaar zitten.

Waar zou Miguel zitten? Hij is vast vrij. Ik denk niet dat de *Tina* vandaag moet varen. Geen spelletjes met de dolfijnen op eerste kerstdag.

Er komen meer mensen de straat in. Misschien zijn de kerkdiensten afgelopen. Dan moet ik snel naar het strand!

- Eerste kerstdag, 22.10 uur

Miguel was dus echt vrij. Ik vond hem op het basketbalveldje, samen met de jongens van de geroosterde vis. Toen hij mij zag, liet hij hen meteen in de steek.

Hij nam me mee naar de andere kant van het dorp, nog voorbij ons appartement. Het werd een moeilijke tocht, want de rotswand loopt daar tot in de zee. Het was een stuk enger dan op La Fortaleza, twee dagen geleden.

Gelukkig waren papa en mama er niet bij.

Langs een soort trap die door de natuur was gemaakt klommen we om de hoek van de rotswand. Miguel draaide zich naar mij om en legde een vinger op zijn lippen. Ik was moe van al het klimmen, maar ik probeerde niet te hijgen.

Miguel drukte zich plat tegen de rots en wees naar beneden. Ik rekte me uit om te kunnen zien wat daar was.

Onder ons lag een klein dal met wat struiken en boompjes erin. In het midden lag een grote rots waar de zon vol op scheen. En op die rots lagen twee hagedissen. Geen gewone kleintjes, zoals ze hier overal op de muren zitten, maar heel grote. Ze lagen daar doodstil te zonnebaden, met hun ogen dicht.

Het was een prachtig gezicht, maar ook een beetje eng. Ze waren erg groot. En terwijl ik stond te kijken, drukte Miguel opeens een kusje in mijn nek.

Ik viel bijna van de rots van schrik. Gelukkig kon ik me vastgrijpen aan zijn arm, anders was ik vast tussen die twee monsters terechtgekomen. Dan hadden ze me opgegeten.

Miguel pakte me bij mijn middel en trok me tegen zich aan. Zo stonden we daar, in de zeewind. Miguel rook naar zout en vis, verse vis. Hij streelde mijn haren.

'Je bent lief,' fluisterde ik. Dat kon hij niet verstaan, natuurlijk, maar hij begreep het wel, want hij begon meteen zachtjes te fluiten. Mijn hart bonkte zo dat ik dacht dat het eruit zou springen.

Hij had me de hele dag zo vast mogen houden, maar na een tijdje liet hij los en begon naar beneden te klimmen. Ik keek nog een keer naar

de hagedissen op de rots. Die waren wat dichter naast elkaar gaan liggen. Misschien hadden ze ook zin om te zoenen.

De weg terug was nog enger, omdat ik nu de hele tijd de zee kon zien, diep onder ons. Het water kolkte om de zwarte, messcherpe rotspunten. Maar Miguel wist wat hij deed en hij wachtte steeds op me, glimlachend als altijd.

Opeens had ik vreselijke honger en ik nam Miguel mee naar ons appartement.

'Ola, Miguel,' zei mama toen we binnenstapten.

Miguel boog weer even.

Mama maakte brood voor ons en we gingen bij het raam zitten eten. Ik wees naar de winkel aan de overkant.

'Hamburgo,' zei ik. 'Miguel Hamburgo?'

Hij lachte en schudde zijn hoofd. Maar wat zijn achternaam dan wél was, kon hij niet zeggen. Dat ergerde me opeens. En mama merkte dat weer meteen.

'Misschien kan hij het schrijven,' zei ze.

Ik pakte mama's puzzelboekje en schreef mijn naam in een lege doorloper. Miguel nam het boekje over en schreef zijn eigen naam eronder: Miguel Martinez. En hij schreef er nog wat bij ook. Het leek wel een gedicht.

Tu pelo rubio
como las cabrillas.
Tus ojos azul
come el agua.
No vuelves...

Ik kon het niet lezen en mama begreep ook niet alles, dus gingen we naar het meisje van de receptie. Die is Duits, en dat is alweer een stuk gemakkelijker. Ze moest een beetje lachen toen ze het briefje las.

'Kluukspielts,' zei ze, of zoiets, en zelfs mama wist niet wat dat betekende.

Deine Haare sind blond
wie die Schaumkronen.
Deine Augen sind blau
wie das Wasser.
Geh nicht zurück...

Daar kwamen mama en ik wel uit:

Je haar is zo blond
als de schuimkoppen.
Je ogen zijn zo blauw
als het water.
Ga niet terug...

Het is hartstikke mooi. Ik kon er haast om huilen, ook omdat ik natuurlijk wél terug moet, zaterdag. Dat moet altijd. Maar ik huilde ook om iets anders, iets waar ik nog geen woorden voor heb.

We gingen naar het strand om te basketballen. De andere jongens waren daar ook en ik was blij dat we niet met z'n tweetjes alleen waren. Het is zo onhandig dat we niet kunnen praten. En de hele dag fluiten gaat ook vervelen...

Opeens stond papa op het veldje, met een bezweet hoofd en stoffige schoenen. Hij was heel vrolijk.

'Doodmoe maar gelukkig,' zei hij.

Hij nam me mee naar het appartement, waar mama net de tafel aan het dekken was.

Het kerstdiner was verrukkelijk, vlees met van die lichtgroene saus die ze op het eiland maken. Mama zei dat het geen geitenvlees was. Op de televisie was Oliver

Twist in het Spaans, dat was lachen.

En nu ga ik slapen, want er is nog een hele kerstdag te gaan.

– Tweede kerstdag, 18.34 uur

Het is ongeveer de tijd dat de *Tina* terug moet komen, dus ik ben bij het zwembad op het dak gaan zitten. De zee is nog leeg en glad als een spiegel. Geen schuimkoppen...

Het was een lange dag vandaag. Papa was de hele ochtend sikkeneurig omdat hij gisteravond te veel cognacjes had gedronken en mama wilde de hele tijd spelletjes doen waar ik geen zin in had. Ten slotte hebben we een taxi genomen om hoog in de bergen te gaan wandelen.

Toen we door de tunnel aan het begin van de vallei gereden waren, regende het opeens. Papa wilde alweer teruggaan, naar de zon in het dal, maar mama zette door.

'Jij moet een frisse neus halen,' zei ze. 'En van een beetje regen gaan we niet dood.'

De taxichauffeur zette ons af bij een kleine, witte kerk. We wandelden langs smalle paadjes en trappetjes omhoog naar de hoofdstraat. Er was niemand buiten en zelfs in het café waar papa met alle geweld koffie wilde drinken waren geen klanten. De barman keek ons zo chagrijnig aan dat we maar gauw weer opstapten.

Ondertussen was het nog veel harder gaan regenen. Mama had in de reisgids gelezen dat hier vlakbij een mooi uitzichtpunt was en dus gingen we daarheen. Mijn linkerschoen was lek, ik hoorde het soppen bij iedere stap en de kou trok omhoog langs mijn been.

Het uitzichtpunt was mooi, maar er was geen uitzicht. De nevel hing dik tussen de druipende bomen en het water liep in beekjes over het pad.

'Je moet er wat moeite voor doen, maar dan word je ook rijkelijk beloond,' mopperde papa van achter de kraag van zijn zomerjas.

Mama vond dat hij niet zo moest overdrijven.

Toen we terugkwamen in het bergdorp brak de zon door. Ik begon meteen aan alle kanten te dampen. Mama zei dat we best nog een stuk konden lopen. Ze volgde de grote weg naar beneden, richting de tunnel.

'Wil je daar doorheen?' vroeg papa ongerust.

'Dat kan best,' zei mama. 'Er is een voetpad. Kom maar.'

De tunnel is lang en recht. Als je er met de auto doorheen rijdt, is het maar een kort stukje. Maar lopend leek er geen eind aan te komen. Steeds als er een auto aankwam, drukte papa mij plat tegen de wand. Mijn hele jas werd smerig.

Toen we eindelijk weer in de buitenlucht stonden, stopte er een auto naast ons. Het was meneer Hamburgo en hij nodigde ons uit om in te stappen. Ik keek meteen op de achterbank, maar Miguel was er niet.

De hele weg naar beneden was meneer Hamburgo aan het babbelen. Mama probeerde het voor me te vertalen, maar er was veel waar zij ook niets van begreep. Af en toe viel de naam van Miguel.

'Hij is weer op zee met de *Tina*,' vertelde mama.

Ik zat vreemd genoeg de hele tijd aan David te denken, en aan zijn vader. Die is niet zo'n vreselijke kletskous als meneer Hamburgo en hij ziet er ook veel aardiger uit. En met David kun je lachen. En praten.

'Kun je hem vragen waarom Miguel nooit iets zegt?' vroeg ik aan mama.

Ze vroeg het, in hakkelende woordjes, en meneer

Hamburgo begon meteen weer een verhaal.

'Als ik het goed begrijp, heeft hij nooit iets gezegd,' fluisterde mama er snel tussendoor. 'Hij is zo geboren.'

Ja, wat wil je, met zo'n vader. Ook als Miguel wél had kunnen praten, zou hij toch nooit aan het woord komen.

Meneer Hamburgo zette ons af voor het appartement en ging zijn winkel openen. Wij gingen naar binnen en papa dook meteen zijn bed in om nog een paar uurtjes te slapen. Mama wilde wel met mij zwemmen op het dak.

'Vind je het een leuke vakantie?' vroeg ze, toen we naast elkaar op een ligstoel lagen.

Dat was een domme vraag. Als ik nou 'nee' zou zeggen, wat dan? Zouden we dan onmiddellijk terugvliegen naar Nederland of zo?

'Vandaag niet echt,' zei ik.

'Mis je je vriendje?'

Ik zei niets, ik wist het niet. Ik weet het nu nog niet. Hij is mooi en lief, maar ook zo anders. Niet alleen omdat hij niet praat, ook gewoon omdat hij anders is. Hij hoort hier, en ik hoor in Zuideroog. Ik hoor bij David. Het past gewoon niet, het voelt niet goed. Als een dolfijn in een goudvissenkom. Of als een banaan in een bord boerenkool. Als Kerstmis in mei.

Daar komt de *Tina* aanvaren. Er zijn niet zoveel mensen aan boord. Miguel staat op het dak van de kajuit.

Hij zwaait.

– *Donderdag 27 december, 07.51 uur*

Mama en papa slapen nog. Ik zit weer bij het raam en kijk hoe meneer Hamburgo zijn tassen aan de luifel hangt. Al dat werk voor niets...

Gisteravond kwam Miguel bij ons aan de deur. Ik

mocht van mama een uurtje met hem mee. Papa vond het ook goed, dus ik moest wel.

Op een stil plekje aan het eind van de boulevard zijn we op een bankje gaan zitten. Hij sloeg zijn arm om mijn schouders. Ik rook de geur van gegrilde tonijn. Hij kuste me weer en ik kuste hem ook, op zijn wang.

Daarna ging hij zitten fluiten.

Ik kan daar niet meer tegen. Het is best mooi, maar ik heb er niks aan. Eigenlijk wilde ik gewoon weg. Maar hij trok me dichter tegen zich aan en het uur was nog lang niet voorbij.

Zijn vrienden kwamen langs en moesten lachen. Ze zeiden van alles tegen Miguel in het Spaans. Ik zag dat hij daar kwaad om werd, maar hij kon natuurlijk geen antwoord geven. Daar had ik opeens ook schoon genoeg van.

Nu komt mama de kamer in en we gaan straks die excursie doen. Ik schrijf later verder.

– Donderdag 27 december, 20.31 uur

Eigenlijk was ik blij dat we een hele dag weg gingen. Dan kon ik misschien weer aan andere dingen denken.

We hadden een plaatsje op de achterbank van de bus en mama had een hele berg plastic zakken mee, dus ik werd niet misselijk. Alle andere toeristen waren Duitsers en ik was het enige kind. De gids was ook Duits. Hij ging maar door over allerlei plantjes waar ik niks over wilde horen. Elk halfuur stopte de bus ergens, dan mochten we rondwandelen. La Gomera is best een mooi eiland.

Tussen de middag gingen we eten in een stadje dat Villahermosa heette. Het restaurant was bijna leeg en erg donker, maar de gids zei dat het heel speciaal was.

Papa vond weer geitenvlees op de menukaart en toen kregen we ruzie.

'Ik vind het zielig!' riep ik.

'Waarom is het voor een geit zielig om opgegeten te worden en voor een koe of een varken niet?' vroeg papa boos.

Dat wist ik ook niet, maar ik vond het gewoon.

'Geitjes zijn lief,' riep ik.

'Maar dit geitje is al dood,' zei papa. 'Zonde om het niet op te eten.'

'Je kunt toch iets anders kiezen,' probeerde mama voorzichtig.

'Nee,' riep papa. 'Dit is ook mijn vakantie en ik eet wat ik lekker vind!'

'Dan eet ik niet!' riep ik en ik stapte het restaurant uit.

Bij de deur keek ik om. Mama wilde me achterna komen, maar papa hield haar tegen.

'Laat haar maar uitwaaien,' hoorde ik hem zeggen toen ik naar buiten liep.

Ik stak het pleintje voor het restaurant over en volgde de weg een eindje naar beneden. Er was daar een parkje met klimrekken en rare beelden van beton. In één zo'n beeld kon je naar binnen. Het rook er naar pies en het galmde heel erg.

'Geitjes zijn lief!' gilde ik. 'En David is ook lief!'

Nu ik het opschrijf, klinkt het stom. Maar vanmiddag voelde het goed om dat te roepen. Toen kwam er een man met een enge grote hond het park in en ik liep terug naar het restaurant.

Het eten stond nog niet eens op tafel. Papa en mama zaten aan de wijn, voor mij stond er een glas cola. Ze wisten dat ik gewoon terug zou komen.

'Ik heb patat voor je besteld,' zei mama. 'Met gebakken vis.'

'Ik heb ook een visje gekozen,' zei papa met een knipoog. 'Het is morgen tenslotte vrijdag.'

'Ja, daar wilde ik het over hebben,' zei mama. 'Morgen is het onze laatste avond. Zullen we vragen of Miguel dan bij ons mag eten?'

Ik verslikte me bijna in mijn cola.

'Dat hoeft niet,' wist ik eruit te krijgen.

'Waarom, is het over dan?' vroeg papa.

'Nee, maar morgen wel.'

'Is er iets gebeurd?' vroeg mama bezorgd.

'Nee, niks,' zei ik. 'Maar het gaat gewoon niet. Hij zit maar te... Het gaat niet.'

Gelukkig kwam de ober met de borden vis. Het was tonijn, zag ik, en er was groene saus bij.

De rest van de excursie was echt leuk. We dronken ergens bronwater uit houten pijpjes en we gingen naar het zelfde uitzichtpunt als gisteren. Nu was er wel uitzicht, helemaal tot op zee. We zagen de *Tina* varen.

We waren op tijd terug in het appartement om nog te kunnen zwemmen. Daarna aten we een boterham.

Miguel kwam weer aan de deur, maar ik verstopte me op mijn kamer en mama zei dat ik niet kon komen. Van achter het gordijn zag ik hem over straat slenteren, op weg naar het strand. Hij zag er zielig uit.

Ik vind mezelf erg laf. Morgen ga ik het hem uitleggen, al zou ik niet weten hoe dat moest.

- vrijdag 28 december, 20.21 uur

Vandaag was een absolute ROTDAG. Ik heb nog nooit iets uitgemaakt en nu moest ik het uitmaken met iemand die mij niet verstond en niks terug kon zeggen. Bovendien waaide het erg en de zon liet zich bijna niet zien.

'Misschien kun je het meisje van de receptie om hulp vragen,' zei mama terwijl we samen naar de supermarkt liepen.

Maar dat durfde ik niet.

'Ik zou niet weten hoe je zoiets doet in het Spaans. Je kan misschien "no pweedo" zeggen, dat betekent dat je het niet kan. Iets anders schiet me niet te binnen.'

'No pweedo,' herhaalde ik.

Het was tenminste íets.

De hele dag moest ik eraan denken. Ik telde de uren tot de *Tina* zou binnenvaren. We gingen hartenjagen bij het zwembad, maar het waaide te hard. Papa nam me mee naar nog een andere winkel die hij gevonden had en waar ze ook geen leuke portemonnee hadden. Mama liet me helpen bij het koken.

En steeds dacht ik aan Miguel. Hoe hij op straat gelopen had, gisteravond. En hoe hij vanavond op straat zou lopen als ik eenmaal 'no pweedo' had gezegd.

Hij was vroeger dan anders. Al om zes uur stond hij voor de deur. Het eten was nog niet klaar.

'Ga maar even,' zei mama. 'Je hebt een halfuur.'

Dat was eigenlijk wel prettig. Dan hoefde het niet zo lang te duren.

Ik nam Miguel mee naar boven, naar het zwembad. We gingen bij de balustrade staan. De zon brak even door de wolken en schitterde op de golven van de oceaan.

Miguel wees naar een vissersboot in de verte die erg lag te schommelen. Hij bewoog zijn hand op en neer en deed toen alsof hij moest overgeven. Ik begreep dat de *Tina* eerder was teruggekomen vanwege het slechte weer.

Toen hij zijn armen om mij heen wilde slaan, duwde ik hem zachtjes weg.

'No pweedo,' fluisterde ik.

Hij trok zijn wenkbrauwen op, alsof hij me niet begrepen had.

'No pweedo,' herhaalde ik.

Hij keek me lang aan. Toen draaide hij zich om en rende langs het zwembad naar de trap. Hij gleed bijna uit op de gladde tegels. Ik hoorde hem naar beneden gaan en even later sloeg de buitendeur in het slot. Toen ik beneden kwam, was hij de straat al uit.

Zo gaat dat dus, uitmaken.

'Heb je het gezegd?' vroeg mama.

Ik knikte. Er brandden tranen achter mijn ogen en mijn keel zat dicht.

'Dapper van je,' zei papa.

Daarna gingen we gewoon aan tafel en er werd niet meer over gesproken. Dat vind ik wel weer goed van papa en mama, soms begrijpen ze precies hoe ik me voel. Dan houden ze hun mond over dingen waar ik niet over praten wil.

Na het eten wilden mama en papa nog een wandeling maken, maar ik bleef liever in het appartement. Ik was bang dat ik Miguel ergens zou tegenkomen, en dan zou ik niet weten wat ik moest doen of waar ik moest kijken.

'Blijf dan maar hier,' zei mama.

Ik deed de afwas toen ze weg waren en ik brak niets. Steeds weer zag ik Miguel voor me, met die opgetrokken wenkbrauwen. Daar werd ik verdrietig van, maar ik was toch ook blij dat ik het had uitgemaakt.

En nu zit ik hier, alleen, en ik kijk naar meneer Hamburgo die zijn tassen binnenhaalt, een voor een, en ze stuk voor stuk bekijkt alsof hij ze voor het eerst ziet. Straks staat alles binnen en dan kunnen de deuren niet meer dicht. Gaat meneer Hamburgo weer met van alles lopen schuiven. Ik weet het toch, zo gaat dat elke avond.

Morgen vlieg ik naar huis. Overmorgen zie ik David weer.

Het is al vreselijk laat en ons toestel heeft ook nog eens vertraging. We zitten in een parkje op Tenerife net buiten de vertrekhal van het vliegveld. Binnen is het verschrikkelijk druk. Half Engeland wil terug naar huis en voor ze aan boord gaan, drinken ze liters bier. Buiten is het prettiger.

Het is een warme avond. Vliegtuigen stijgen en dalen om de paar minuten. Op de straat rijden taxi's en bussen stapvoets in een lange rij. Ik moet weer wennen aan de drukte.

'We zijn verwend op La Gomera,' zei papa. 'We weten niet meer hoe de echte wereld eruitziet.'

Vanmorgen lag er een pakje voor de deur van het appartement, een pakje met mijn naam erop. Ik herkende Miguels handschrift meteen. Hij had ook nog geschreven dat ik het pas in het vliegtuig mocht openmaken.

Ik wilde ook iets geven, maar ik kon niks verzinnen. Ten slotte heb ik mijn gedichtje over de dolfijnen en het fluiten maar in het net overgeschreven en bij meneer Hamburgo gebracht. Misschien vindt Miguel ooit iemand die het voor hem kan vertalen.

Omdat we al vroeg weg moesten uit het appartement, brachten we onze koffers naar het meisje van de receptie. Ze beloofde dat ze er goed op zou passen.

We gingen voor de laatste keer naar het strand, maar het was bewolkt en niet erg prettig. Ik kon ook niet zwemmen, omdat mijn bikini al was ingepakt. We aten een afscheidspizza in het restaurant van de eerste avond. Papa koos geen geitenvlees.

Laatste dagen zijn altijd een beetje treurig, maar nu was het helemaal erg. Net alsof ik geen leuke vakantie heb gehad, maar dat was het juist wél. Hartstikke leuk.

Op een paar dingetjes na dan.

Het pakje van Miguel stopte ik bij mama in de handbagage. Straks, in het vliegtuig, mag ik het openmaken.

Onderweg naar de veerhaven zag ik de *Tina* weer. Ze lag voor anker in de baai met het blauwe water. Het was net alsof ik de tonijn op de barbecue kon ruiken. Maar de bergweg maakte alweer een bocht en de zee was verdwenen.

Nu komt papa aanlopen. Hij heeft op het bord in de vertrekhal gezien dat we aan boord mogen. Ik schrijf straks verder.

– Zaterdag 29 december, 23.58 uur

Diep onder mij zijn de lichtjes van Tenerife. Ik zit aan het raampje en ik heb net Miguels pakje geopend.

Er zat een portemonnee in, een prachtige leren portemonnee uit de winkel van meneer Hamburgo.

'Geitenleer,' zei papa.

Mama zei dat dat een grapje was.

Er zat ook nog een papiertje bij. Miguel had er iets op geschreven:

TE QUIERO MUCHO

Dat hoefde mama niet te vertalen: ze zingen het in alle liefdesliedjes.

Spaanse liefdesliedjes,
bedoel ik.

Mijn derde dagboek! Afgelopen zondag waren we bij oma om gelukkig nieuwjaar te wensen en daar was tante Nelleke ook. Ik vertelde dat mijn hele dagboek alweer vol was en dat ik een nieuw ging kopen.

'Niks ervan,' zei ze streng. 'Jij koopt helemaal niets. De dagboeken komen bij mij vandaan, dat is nu traditie geworden. En ik hang nu eenmaal sterk aan tradities.'

Ik vroeg me af hoe ze eruitgezien heeft toen ze nog een hippie was. De traditie van de lange haren en de bloemetjesrokken heeft ze in ieder geval niet volgehouden.

Dus moest ik rustig wachten en vanochtend was het er dan, met de post: dit dagboek, precies hetzelfde als de eerste twee.

Er is niet veel gebeurd, behalve dat papa zijn hand heeft gebrand aan een vuurpijl die te vroeg omhoog ging. Hij is er nog mopperiger door dan anders.

Meteen toen we terug waren, ben ik naar David gegaan. Hij was ontzettend blij me te zien, en ik was ook blij. We hebben gezoend op zijn kamer. De kaart was er nog niet. Ik liet hem de portemonnee zien.

'Mooi ding,' zei hij. 'Voor jou,' zei ik.

Het was eruit voor ik er erg in had. Maar ik heb er geen spijt van. Op de een of andere manier klopt het wel. En hij was er heel blij mee.

Ik heb hem verder niets verteld.

Nou krijgen we weer een kunstweek!

We hebben voor de kerstvakantie al twee weken het thema water gedaan. Daar moesten de vaders en moeders toen naar komen kijken. Mijn moeder is ook geweest. Ze vond het niet saai. En nou gaan we weer wat anders doen. Zo blijft er weinig tijd over om iets te leren!

Een kunstweek. Meester zegt dat er echte kunstenaars op school komen. Die gaan ons dan vertellen over hun vak. En natuurlijk moeten we zelf ook iets gaan maken. Iets van kunst.

Ruben vond het niks.

'Ik ga niet zitten kleien of zo,' riep hij. 'Ik ben geen kleuter.'

'Je mag ook dansen,' zei meester, 'als je dat liever wilt.'

Ruben deed net alsof hij moest overgeven. Hij greep naar zijn keel en maakte smerige geluiden. Ipek zat daar natuurlijk om te lachen. Ipek en Ruben gaan nog steeds met elkaar, dus ze vindt alles wat hij doet leuk. Ook als hij eigenlijk heel vervelend is. Zoals meestal.

De tweeling vroeg of schaatsen op een kunstijsbaan ook kunst was.

'Alleen met kunstschaatsen aan,' zei meester.

Dat was lachen! We gingen meteen woorden met 'kunst' erin verzinnen. Kunstlicht, bijvoorbeeld. En kunstmest. Ik verzon kunstgebit en toen kwam de tweeling weer met kunstbeen.

Ten slotte zei meester dat hij er een kunstkop van kreeg.

Toen we uitgelachen waren, zei Ruben iets geks: 'Ik hou niet van kunsthomo's.'

Ik had het eerst niet verstaan, omdat ik nog zat te giechelen met de tweeling. Maar het werd plotseling heel vreemd stil in het lokaal. Iedereen keek naar meester.

Meester was kwaad. Hij vroeg Ruben wat hij precies bedoelde. En of hij wist wat die grote woorden betekenden. Maar Ruben zei niks meer, dus misschien wist hij het niet.

We begonnen allemaal door elkaar te praten. Meester kreeg het niet meer stil. Iedereen wilde weten wat Ruben precies had gezegd.

Ruben zelf keek uit het raam en bleef zwijgen. Ik was boos op hem, maar hij zag er ook stoer uit. Dat is het moeilijke van Ruben. Ik weet nooit wat ik van hem moet vinden.

Maandag begint het project al.

Ik had er eerst geen zin in. Maar na schooltijd liep ik met David mee naar huis en hij was juist heel blij.

'Ze doen steeds twee groepen bij elkaar,' zei hij. 'Groep vijf en zes komen samen. Dan zitten we weer bij elkaar in de klas!'

De laatste keer dat David en ik samen in één klas zaten, was bij de kleuters. Maar toen was hij mijn vriendje nog niet.

Misschien heeft hij gelijk. Misschien is het toch een leuk project, eigenlijk. En van Ruben moet ik me gewoon niks aantrekken. Dat is het probleem van Ipek.

David en ik praatten erover wat we wilden gaan doen. Hij wist het nog niet.

Maar ik keek omhoog, naar de kale takken van de bomen. Ik zag de gele lucht daarachter. En ik wist dat ik wilde gaan schilderen, of tekenen. Een winterlandschap, of iets anders groots.

Iets van kunst.

Vannacht heeft het hard gevroren. Omdat ik de verwarming nooit aan heb op mijn kamer zaten er grote ijsbloemen op de ramen. Dat was een prachtig gezicht. Ik kon erin tekenen met een vinger en die vroor dan vast aan het glas. Een raar gevoel.

Toen ik beneden kwam, was papa weg. Hij was gaan hardlopen. Dat is raar, want dat doet hij altijd 's avonds.

'Is er iets met papa?' vroeg ik.

'Nee,' zei mama. 'Hij wilde gewoon lopen. Misschien heeft hij veel te piekeren. Misschien moet hij even uitwaaien. Niks aan de hand.'

Ze giechelde, want papa heeft juist wél iets aan zijn hand.

'Wat heeft hij dan te piekeren?' vroeg ik.

Mama keek uit het raam en haalde haar schouders op.

'Zeg,' zei ze, 'wat vind jij eigenlijk van het kunstproject? Heb je er een beetje zin in?'

Echt iets voor mama. Ze begon gewoon over iets anders.

'Ik weet het niet,' zei ik. 'David vindt het leuk. Maar Ruben niet. Die houdt niet van kunsthomo's.'

Mama keek verbaasd. Ik moest haar uitleggen wat Ruben daarmee bedoeld had – en dat kon ik natuurlijk niet. Toen legde mama het maar uit.

Kunsthomo's bestaan niet. Dat zei mama tenminste. Je hebt kunstenaars, en je hebt homo's. Maar dat zijn verschillende dingen.

Mama is een kunstenaar, want ze maakt tekeningen voor in boeken. En oom Theo en oom Freek zijn homo's. Die kunnen niet tekenen. Nou ja, oom Theo wel.

'Maar dat heeft dus niets met elkaar te maken,' zei mama. 'Die Ruben kletst maar wat. Het wordt vast een fijne week.'

We zaten samen een croissantje te eten in de keuken. En toen kwam papa terug, met de auto en in zijn gewone kleren. Hij had vast veel te piekeren gehad, want hij was zelfs zijn hardloopschoenen vergeten. Misschien komt het door zijn werk op kantoor. Ik hoop niet dat ik later op zo'n kantoor hoef te werken. Ik hou namelijk niet van hardlopen.

'En weet je wat nou het leuke is,' zei mama. 'Ik kom ook lesgeven, volgende week. Ik ga tekenen en schilderen met een groepje. Kom je dan gezellig bij mij?'

Maar ik weet niet of ik dat leuk vind. Ik denk eigenlijk van niet.

Dus dat wordt geen groot winterlandschap.

'Ik weet het nog niet,' zei ik. 'Misschien, als David het ook leuk vindt.'

'Ah ja, David,' zei mama. 'Zonder David gaat het feest niet door, natuurlijk.'

Ze lachte naar me en schonk een kopje thee in.

Ik vond dat ik me er netjes uit had gekletst. Maar dat kan ik meestal wel goed.

Misschien ga ik dansen, als David dat ook wil.

– *Zondag 13 januari, 20.43 uur*

Vanochtend bleef papa op bed liggen. Hij kookte geen eitjes voor ons en perste geen sinaasappels uit. Hij doet echt raar. Maar mama zegt er niets van.

Het vriest nog steeds zo hard. Vanmiddag ben ik met David naar 't Wed geweest, een duinmeertje aan de rand van ons dorp. Het is niet zo diep, dus het vriest snel dicht. Er waren al wat mensen op het ijs. Wij hebben daarop ook snel onze schaatsen gehaald.

Toen we net een paar rondjes gereden hadden, kwam

Ruben eraan. Niet op schaatsen natuurlijk; hij kwam met zijn rotbrommertje. Daar mag hij nog niet op rijden, maar hij doet het toch. Ook in de duinen waar geen paden zijn. Dat weet iedereen, ook de vader van de twee-ling, die bij de politie is. En toch zegt niemand er wat van.

Ruben reed naar de rand van 't Wed en bleef daar even naar ons staan kijken. Toen gaf hij vol gas en scheurde zó het ijs op.

Iedereen schrok zich lam. We schaatsten snel naar de kant. Maar een man die zijn zoontje les gaf, was niet zo vlug. En Ruben reed recht op die twee af! Het leek of hij ze niet zag!

Pas op het laatste moment remde Ruben. Dat ging natuurlijk niet goed op het gladde ijs. Het rotbrommer-tje gleed onder hem vandaan. Hij kwam in het riet terecht.

Tussen de rietstengels is het ijs niet sterk, dat weet iedereen. Het rotbrommertje zakte er met een luid gekraak doorheen.

Ruben zelf zat met zijn kont op het ijs. Hij keek zo beteuterd dat ik er bijna om moest lachen. Maar daar was ik veel te kwaad voor. Je weet nooit wat je moet doen, bij Ruben.

De man met het zoontje was ook kwaad.

'Eigen schuld,' riep hij. 'Wat denk je wel, met die kole-rebrommer. De wereld is niet alleen van jou!'

'Hou toch je bek,' zei Ruben. Hij liep naar zijn rotbrommertje en probeerde het uit het wak te trekken. Maar het enige wat er gebeurde was dat hijzelf ook door het ijs zakte. Tot aan zijn knieën stond hij in het koude water. Toen moest ik echt lachen.

Ruben zei niets. Hij sjorde zijn rotbrommertje uit de modder en sleepte het de kant op. Toen hij wegliep, kwam hij vlak langs David en mij. Hij bleef even staan en keek ons kwaad aan.

'Ik pak jou op school nog wel, trut,' zei hij.

Ik werd er echt bang van. Maar David was mijn grote held. Hij stapte tussen ons in.

'Waag het eens,' zei hij dapper.

Ruben lachte gemeen.

'Hoor hem. David de Kabouter. Sinds wanneer moet ik bang zijn voor een kleutertje?'

En voor David doorhad wat er gebeurde, kreeg hij een harde klap. Zomaar, recht in zijn gezicht. Hij kwam op zijn rug op het ijs terecht.

'Niemand maakt mij belachelijk,' zei Ruben. 'Niemand! Heb je dat goed begrepen?'

Hij lachte nog even. Daarna verdween hij met zijn rotbrommertje tussen de bomen. Er liep een spoor van opvriezend water door het zand.

David had een bloedneus en pijn aan zijn billen van de val. Een aardige man hielp hem overeind.

'Kennen jullie dat rotjoch?' vroeg de man.

'Hij zit bij mij in de klas,' zei ik.

'Vertel dan maar aan je meester wat er gebeurd is,' zei de man. 'Iemand moet die jongen vertellen hoe je met elkaar omgaat.'

Op weg naar huis kwamen David en ik langs de garage van Rubens vader. De deur stond open en we zagen het rotbrommertje staan. Droog en blinkend schoon.

Maar Ruben zelf zagen we niet, gelukkig.

Onze meester is soms echt ontzettend dom! Nou heeft hij David en mij samen in een groepje gezet. Maar... met Ruben erbij! Ruben, zonder Ipek. En we moesten nog dansen ook!

Ik had meester niks verteld over het schaatsen. Natuurlijk niet! Maar toch was het dom van hem, want hij weet hoe Ruben is.

We stonden in het speellokaal van de kleuters. De tweeling was er ook bij en nog een paar uit groep vijf. Meester was er en een andere man die mager en gespierd was. Hij droeg een hemd zonder mouwen en een soort flodderige trainingsbroek.

'Jongens, dit is Leo,' zei meester. 'Leo danst bij het Nationale Ballet. Nou, dan kan je dansen. Anders nemen ze je daar niet. Ik ben blij en trots dat Leo tijd heeft om met jullie te werken. Dat doet hij anders nooit, dus het is echt bijzonder. Ik zou zeggen: doe er je voordeel mee.'

Ruben haalde zijn neus op en keek uit het raam.

'Denk erom, Ruben,' zei meester. 'Jij doet ook gewoon mee. Ik wil niks over je horen, anders zwaait er wat. Heb je dat goed begrepen?'

Meester liep het lokaal uit. Hij ging zeker bij de andere groepjes kijken. En ons liet hij alleen. Alleen met Ruben en Leo de danser.

'Wie van jullie heeft al eens eerder gedanst?' vroeg Leo.

'Ik zit op ballet,' zei een meisje uit groep vijf. Alle anderen waren stil. Ik ook, want ik zit op paardrijles en dat heeft niks met dansen te maken.

'Mooi,' zei Leo. 'Ik leg even uit wat de bedoeling is. Aan het eind van de week wil ik een dansvoorstelling geven. Met een stuk of wat kinderen, voor de rest van de school.

Vandaag werk ik een uurtje met iedereen, en dan kies ik mijn dansers uit. Niet alleen de besten mogen meedoen, hoor. Ik zoek vooral kinderen die er echt ontzettend veel zin in hebben.'

'Nou, de mazzel dan,' zei Ruben. Hij wilde meteen het lokaal uit lopen.

Leo legde een hand op zijn schouder.

'Niet zo snel, Ruben. Je hebt het nog niet eens geprobeerd.'

'Blijf van me af, homo,' zei Ruben.

Iedereen schrok. Het werd doodstil in het lokaal.

Leo trok zijn hand terug.

'Neem me vooral niet kwalijk. En donder maar meteen op ook.'

Ruben draaide wat met zijn schouder en stapte met grote passen het lokaal uit. De deur smeet hij achter zich dicht.

Leo keek hem een poosje na. Daarna wendde hij zich weer naar ons, met een grappige twinkeling in zijn ogen.

'Zagen jullie dat?' vroeg hij. 'Die Ruben heeft een bijzondere manier van lopen. Kunnen jullie dat nadoen? In de maat, let op... Stap, stap, stap, naar de deur en knal. Stap, stap, stap, naar de deur en knal. Prachtig! Stap, stap, stap...'

We moesten er vreselijk om lachen. En toch was het echt dansen!

Later op de ochtend hebben we ook nog gedichten geschreven. En toneel gespeeld.

's Middags moest ik zingen en daarna tekenen. Bij mama in de groep! Maar ze deed normaal, gelukkig. Ze heeft maar een paar keer iets tegen me gezegd.

Ruben deed nergens echt aan mee. De hele dag zat hij boos voor zich uit te kijken. Misschien dacht hij dat dat stoer was. Mij leek het vooral ontzettend saai.

Na schooltijd wilden David en ik naar huis fietsen. Op de parkeerplaats naast het plein stond een klein autotje. Het was een beetje raar aan het hoesten. De bestuurder probeerde de motor te starten, maar dat lukte niet.

'Misschien moeten we duwen,' zei David.

Hij holde naar het autootje toe en tikte op het raam. Het portier werd geopend en Leo stak zijn hoofd naar buiten.

'Hé, hallo,' zei hij. 'Het komt door de kou, denk ik. Ik krijg dit ding niet meer aan de praat.'

'We duwen wel even,' zei David.

'Dat zou geweldig zijn,' zei Leo. 'Dank jullie wel.'

Hij deed het portier weer dicht.

David en ik liepen naar de achterkant van de auto. We legden onze handen op de ijskoude kofferbak.

'Wat doen jullie nou, stelletje debielen?'

Dat was Ruben. Hij stond vanaf het schoolplein naar ons te kijken. 'Zie je niet dat die auto op diesel rijdt? Een diesel mag je niet aanduwen, dan gaat hij kapot. Dat weet iedereen.'

Ja, iedereen die een vader met een garage heeft misschien. Ik wist dat dus niet, en David ook niet. Ik weet meer van piekeren... Nee, ook niet echt, eigenlijk.

Leo wist het ook niet. Hij stak zijn hoofd naar buiten.

'Wat zeg je me nou?' riep hij. 'Mag mijn auto niet worden aangeduwd? Maar hoe kom ik dan thuis?'

Toen Ruben zag dat Leo in de auto zat, schrok hij. Dat was ook niet zo raar, na wat er vanochtend gebeurd was. Even leek het of hij weg zou lopen. Maar na drie passen stond hij stil en draaide zich om.

'Ik bel mijn vader even,' zei hij. Hij liep terug de school in.

'Goed hè,' zei Leo lachend. 'Zag je dat? Stap, stap, stap, en sta stil en draai... Stap, stap, stap en sta stil en draai...

Die jongen is een danser. Hij weet het alleen nog niet. Iemand moet het hem vertellen.'

Dat is dus al het tweede dat aan Ruben verteld moet worden.

– Dinsdag 15 januari, 17.02 uur

Gisteravond, toen ik al in bed lag, hadden papa en mama ruzie. Ik kon het goed horen. Ze schreeuwden tegen elkaar. Het einde ervan was, dat er met de deur gesmeten werd. Toen was het stil, oorverdovend stil.

Ik ging voorzichtig de trap af om te kijken. Mama zat alleen in de woonkamer. Ze keek me niet aan toen ik binnenkwam, maar ik kon zien dat ze rode ogen had.

Ze tilde zwijgend haar arm op, zodat ik eronder kon duiken. We zeiden niets, we lagen stil tegen elkaar aan.

Zo ben ik in slaap gevallen, denk ik.

Vanochtend werd ik wakker in mijn eigen bed. Mama sliep ook nog. Papa zag ik nergens.

Mama zei er niets van toen ik haar wakker knuffelde. Ik kreeg een tikje op mijn billen en moest me snel aankleden.

'Hup,' zei mama. 'De kunst wacht.'

We aten een paar crackertjes met kaas en fietsten samen naar school.

In de aula hingen namen met lijsten aan de muur. Daar kon je op zien waar je aan mee ging doen. Het was een hele puzzel, maar uiteindelijk vond ik mijn naam. Ik stond samen met David op de lijst voor het dansen! En wat nog veel mooier was: Ruben stond er niet bij!

De tweeling stond bij het zingen. Dus die zie ik deze week niet meer. En Ipek vond haar naam op de lijst van de tekenlessen. Ze had liever toneel willen spelen.

'Moet je kijken,' zei David. 'Hier staat Rubens naam...'
Ruben stond in de lijst bij de gedichten!
Ipek was boos.
'Waarom mogen wij nooit bij elkaar in een groepje?'
Misschien omdat jullie haast nooit meer samen zijn,
dacht ik. Ik kneep even in Davids hand. Wij hadden ten-
minste wel geluk gehad!
Toen ik naar het speellokaal van de kleuters liep,
kwam ik mama tegen.
'Je gaat lekker dansen, hè?' zei ze. 'Veel plezier!'
'Doe jij de groeten aan Ipek,' zei ik.
Leo stond al op ons te wachten. Het balletmeisje van
gisteren was er ook weer. De anderen waren nieuw.
'Ga maar lekker op je rug liggen, jongens,' zei Leo.
'Doe je ogen dicht. Als de muziek begint, word je lang-
zaam wakker... Luister, de muziek wordt steeds harder...
Daar is de bas, daar komen de drums. Kom maar over-
eind, ga maar staan... En een, twee, drie en vier... Je bent
Ruben! Stap, stap, stap en sta stil en draai... Goed zo!
Krachtig! Jij bent de sterkste, de beste... Kom op, laat
zien hoe stoer je bent!'
En niemand lacht me uit, dacht ik, heb je dat goed
begrepen? Met reuzenpassen stapte ik door het lokaal. Ik
voelde me geweldig. En David vond het ook leuk, dat kon
ik aan hem zien.
Bij de overblijf was Ruben er niet. Een meisje uit groep
zeven vertelde dat hij bij de directeur zat. Voor straf. Ze
liet ons een papiertje zien. Er stond een gedicht op dat
Ruben geschreven had.

Donder toch op met je
pies kak stront kunst!
Rot toch op met je
debiele seniele dansjes!

Rot toch op allemaal!
Donder toch op
met je kunst.
Met je schijt
kunst.

Een echt gedicht was het natuurlijk niet. Maar op de een of andere manier vond ik het toch een beetje mooi...

Als ik gedichten schrijf, gaan die altijd over wat ik voel en denk. En zo had Ruben het ook gedaan. Eigenlijk was het dus gek dat hij daar straf voor had gekregen.

Maar dat zei ik natuurlijk niet. Ik zei dat ik het stom vond van Ruben. En toen werd Ipek weer kwaad. Maar dat wordt ze altijd als het om Ruben gaat.

's Middags werkten we verder aan onze dans. Er kwamen ook sprongen bij en we moesten sluipen als indianen. Het wordt echt prachtig.

– Dinsdag 15 januari, 20.13 uur

Nog eventjes over vanavond, bij het eten. Papa was er gewoon weer bij, maar hij zei bijna niets. Mama vertelde over de schilderlessen.

Ik had over Ruben verteld. Papa bromde iets over 'rotjochies' en 'laat maar gaan'. Maar mama keek uit het raam en dacht een tijdje na.

'Ik heb hem gisteren ook gehad,' zei ze. 'Er is iets met die jongen. Er knaagt een zwarte slang aan zijn hart.'

Papa lachte, hard en kort. Een naar lachje. Hij stond op en ging naar zijn werkkamer.

Ik keek naar mama.

'Zwarte slangen zijn vervelende huisdieren,' zei ze.

'Je praat soms net als een dictee,' zei ik. 'Stomme zinnen vol met moeilijke woorden.'

94

'Meen je dat?' vroeg mama. 'Ik bedoel het niet zo. Maar als ik over dingen nadenk, zie ik een soort schilderijen. Ik zie geen woorden. Begrijp je wel?'

'Een beetje,' zei ik.

Dat was ook zo. En de zwarte slang begreep ik ook wel. Ik zag hem ook zitten, achter Rubens hart. Het zwarte, gespleten tongetje likte aan zijn longen. Het was een eng gezicht, en ook zielig. Ik werd er een klein stukje minder boos van.

Maar ik dacht ook aan papa. Had die ook een slang achter zijn hart? Dat was een nare gedachte.

'Wat is er met jullie?' vroeg ik.

'Ach,' zei mama, 'dat zijn van die dingen. We reizen nu even door een onherbergzame streek. Zoals op La Gomera. De weg is rotsig en overal groeien doornen. Het gaat wel over. Je hoeft niet bang te zijn.'

Alweer een soort schilderij, dus. En wat zag ik? Ruben, met zijn rotbrommertje in het wak. Ruben, met zijn handen diep in zijn zakken. En David, die zag ik ook. Eventjes.

– Woensdag 16 januari, 13.44 uur

Een stukje minder boos op Ruben, ammehoela!

Hij was echt weer verschrikkelijk, vanochtend.

En het begon juist zo goed. Er was een beetje sneeuw gevallen. Overal op het schoolplein werden glijbaantjes gemaakt. We deden wie het verst kwam. Toen de bel ging, had bijna niemand zin om naar binnen te gaan.

Gelukkig had Leo nieuwe muziek meegenomen. We mochten mooie stukjes uitzoeken om op te dansen. Eerst gingen we luisteren, in een kring op de vloer. Dat was heerlijk. Ik keek naar de grijze lucht buiten, ik keek naar de sneeuw. En ondertussen hoorde ik de mooiste muziek...

Een paar dagen terug schreef ik dat zo'n kunstweek zonde is van de tijd. Dat vind ik nu niet meer.

Maar bij het allermooiste stukje muziek ging de deur open. We merkten het niet eens, we lagen te luisteren met onze ogen dicht.

'Alles goed, kleuters? Gaat het een beetje met de vogeltjesdans?' brulde Ruben zo hard als hij kon. We deden onze ogen open en schoten overeind van schrik. Daar stond hij, bij de deur. Hij lachte hard.

Ik keek om me heen. Het balletmeisje had een knalrood hoofd gekregen, zag ik.

Leo was ook geschrokken. Hij zag wit. Met een boos gezicht zette hij de muziek uit.

'Nou moet jij eens even goed luisteren, ettertje,' riep Leo kwaad. 'Dat jij niet mee wilt doen, moet je zelf weten. Maar waag het niet om de les hier te verpesten.'

'Wat voor les?' vroeg Ruben. 'Een beetje liggen slapen, dat noem ik geen les.'

Leo haalde diep adem.

'Ieder zijn vak,' zei hij. 'Toen jouw vader mijn auto maakte, liet ik hem met rust. Ik riep niet dat ik het stom werk vond, wat hij deed. Ik gooide niet de motorkap op zijn vingers. Maar dat is wel wat jij doet, als je hier zo binnenkomt.'

'Wat mijn vader doet, is nuttig,' zei Ruben. 'Dansen, daar heeft niemand iets aan.'

'Misschien ben je te stom om het te begrijpen,' riep Leo. 'Omdat, omdat...'

'Omdat ik geen homo ben,' zei Ruben. Daarna gooide hij de deur dicht en verdween.

Leo zette keiharde muziek op.

'En een, twee, drie, vier,' brulde hij.

Wij dansten als gekken.
En dat was ontzettend nuttig.

De rest van vandaag was ook al niet leuk. Maar dat lag niet aan mij.

Ik was vanmiddag met David naar 't Wed. Het sneeuwde alweer. Mannen met grote, houten schuivers hielden de baan schoon. Er waren niet zoveel mensen aan het schaatsen.

We deden een paar wedstrijdjes en ik won ze allemaal. Dan kun je toch merken dat ik al in groep zes zit! David zei natuurlijk dat hij me had laten winnen. Toen heb ik hem ingepeperd met sneeuw. Hij was helemaal rood!

We fietsten samen naar huis. Bij de Stationsstraat gaf hij me een kus. Daarna ging hij door naar het hotel van zijn ouders.

Ik ging rechtsaf. Mijn huis staat een beetje apart, in de duinen. Er was verder niemand op de weg.

Toen ik bijna thuis was, hoorde ik het geluid van een brommer. Hij was vlak achter me en daar bleef hij ook. Daar bedoel ik mee dat hij mij niet inhaalde...

Ik werd bang. Ik dacht dat het misschien Ruben was. En wat moest ik dan doen, in mijn eentje? Ik stopte en draaide me om.

Ruben moest zo hard remmen dat hij bijna onderuit ging. Op één been probeerde hij overeind te blijven. Het was een grappig gezicht. Ik schoot in de lach, maar daar werd hij nog kwader van.

'Stomme trut,' riep hij. 'Met je stomme vriendje! Hoe ging het op dansles? Hebben jullie fijn gehuppeld?'

Ik dacht aan de zwarte slang bij Rubens hart. Ik was ineens niet bang meer.

'We huppelen niet,' zei ik. 'We doen een stoere dans. We moeten lopen zoals jij. Dus.'

Daar wist hij even niks op te zeggen.

'Zoals ik?' vroeg hij ten slotte.

Ik knikte. 'Ja, zo, met onze handen in onze zakken, stap stap stap, en sta stil en draai...'

Ik voelde een papiertje in mijn broekzak. Rubens gedicht! Dat had ik gisteren per ongeluk in mijn zak gestoken. Ik haalde het tevoorschijn en gaf het aan hem.

'Hier. Dit is van jou. Ik vond het mooi.'

Hij haalde zijn neus op.

'Zal wel,' zei hij.

'Nee, echt. Je schrijft heel goed op wat je voelt. Dat moet, in een gedicht.'

'Stom wijf...'

Ik weet niet waarom, maar ik voelde me blij worden vanbinnen. Ruben keek naar zijn voet, die in de sneeuw wroette. Ik keek naar hem en ik zag de zwarte slang. Die werd steeds kleiner. Het vuile tongetje likte wat het kon, maar het hielp niet meer.

'Mag ik bij je achterop?' vroeg ik.

'Ik dacht het niet!' zei hij.

'Een stukje maar, hier in de straat.'

Ruben zei niets meer. Hij ging op zijn rotbrommertje zitten en startte de motor. Daarna wachtte hij.

Ik zette mijn fiets neer, liep naar hem toe en sloeg mijn

been over de bagagedrager. Mijn armen sloeg ik om zijn middel. Nu was ik heel dicht bij hem. Hij rook naar olie en ijzer.

Ruben gaf een dot gas en liet de koppeling los. Het rotbrommertje schoot vooruit en slipte vervaarlijk.

Een meter of honderd ging het goed, maar toen kon Ruben zijn rotbrommertje niet meer in bedwang houden. In een wolk van sneeuw gingen we onderuit.

Ik kwam half onder Ruben terecht. Hijgend leunde hij over me heen en keek me aan.

'Pijn?' vroeg hij.

Ik schudde van nee.

'Ik ga naar huis,' zei ik.

Maar Ruben bleef gewoon boven op me liggen. En hij keek zo vreemd naar me...

Lang geleden is Ruben al eens verliefd op mij geweest. Toen ik jarig was, wilde hij de hele tijd zoenen. Daar had ik geen zin in. Toen heeft Ipek hem genomen.

En nu lag ik hier met hem in de sneeuw. Ik wist niet wat hij van me wilde. Het leek een eeuwigheid te duren.

'Wat zijn jullie nou aan het doen?' Dat was mama. Die had natuurlijk de herrie gehoord. En in onze straat gebeurt nooit wat, dus ze was meteen komen kijken.

Ruben stond op en reed weg zonder iets te zeggen.

'Was dat Ruben?' vroeg mama.

Ik knikte.

'Wat moest hij dan met jou?'

'Niks,' zei ik. 'Hij was bang.'

Mama knikte.

'De meeste schreeuwers zijn bang,' zei ze. 'Daarom schreeuwen ze zo hard. Dan hoeven ze hun bange hart niet te horen.'

Dat was weer iets van mama. En ik begreep het, net als van die slang.

De bange slang. Terwijl ik m'n fiets ophaalde bedacht ik een versje:

Zwart hart,
bange slang.
Ik ken jullie toch allang!
Zwart hart,
bange slang.
Ben je bang dat ik je vang?

Misschien ga ik dat versje morgen aan Ruben geven. Ik hoop dat hij het begrijpt. Dat hij niet denkt dat het een grap is. Maar dat zal wel niet. Ik denk dat hij nu anders is geworden.

Een beetje.

– Woensdag 16 januari, 20.17 uur

Nog even dan. Ik had een hele tijd in dit dagboek zitten schrijven en het was al donker. Maar het eten was nog niet klaar. Dus toen heb ik mijn versje overgeschreven en ik ben naar de garage van Rubens vader gegaan.

Er brandde nog licht in de werkplaats. Maar de grote deuren waren dicht en ik zag geen bel. Ik sjorde aan de deuren, net zolang tot ik door een kier naar binnen kon.

Bij een werkbank stond een man. Hij droeg een smoezelig, blauw werkpak en hij had een sigaret in zijn mond.

'Wat kom je doen?' vroeg hij.

'Ik kom voor Ruben,' zei ik.

'Zo,' zei de man en hij bekeek me aandachtig. 'Damesbezoek voor de kleine rotzak.'

'Is hij thuis?' vroeg ik. Ik had het rotbrommertje al zien staan, dus ik wist het best.

'Ik zou het niet weten,' zei de man. 'En het interesseert me nog veel minder. Loop maar door.'

Hij knikte naar een deur achter in de werkplaats. Er hingen platen van blote vrouwen. Daar kan ik niet goed tegen, dus liep ik snel verder.

Achter de deur was een trap omhoog. Er lagen stapels oude kranten op en ook bakjes met schroeven en spijkers. Er zat geen verf meer op de treden. Ook de verf op de muren viel in grote, kruimelende vellen naar beneden.

Ik ging voorzichtig de trap op. Bovenaan was een gang. Het stonk er naar rook en oud eten. En ook een beetje naar olie, net als Ruben zelf.

De laatste deur in de gang leidde naar de woonkamer. Daar zat Ruben, bij de televisie. Hij had een opengescheurde zak patat voor zich op tafel liggen.

'Hai,' zei ik.

Hij schrok.

'Wat kom jij nou weer doen?'

'Ik heb iets voor je geschreven,' zei ik. Ik gaf hem het papier met het gedicht erop.

Ruben las wat ik geschreven had en keek me aan. Hij zei niets.

'En ik vind ook dat je moet komen dansen,' zei ik. 'Morgen.'

'Wat is er met jou aan de hand?' vroeg Ruben. 'Ben je niet goed bij je hoofd of zo? Of ben je verliefd op mij?'

Daar had ik nog niet over nagedacht. Een paar maanden geleden had David dat ook aan me gevraagd. Met precies dezelfde woorden. Toen wist ik ook niet meteen of het zo was, maar later wel. En het is nog steeds zo.

Ik wil niet verliefd zijn op Ruben! Dat lijkt me verschrikkelijk! Ik weet het nog steeds niet. Maar stel je voor... En David dan? En Ipek?

Waarom maakt Ruben het voor iedereen zo moeilijk? Denkt hij soms dat het allemaal een lolletje is, een of ander rotgeintje? Dat is het bepaald niet!

'Ik ben niet verliefd,' zei ik. 'Toevallig niet. Maar ik ben...'

Ik kreeg een enorm rood hoofd, dat voelde ik. Dat kwam doordat ik niet wist wat ik was.

'Ik maak ook gedichten. Daarom. En jij bent met Ipek.'

Ruben was even stil.

'Oké,' zei hij toen. 'Dag dan.'

Hij ging weer televisie kijken. Met zijn vingers propte hij zijn mond vol vette frieten.

Ik draaide me om en liep de trap weer af. De man in de werkplaats keek niet naar me toen ik naar buiten liep.

'Is het alweer uit?' riep hij me na. 'Wees maar blij. Mijn zoon, daar heb je niets aan. Niemand heeft wat aan die lapzwans. Goeienavond.'

Ik voelde me opeens ontzettend verdrietig.

Maar nu komt mama de trap op en ik zou gaan slapen.

– Woensdag 16 januari, 21.53 uur

Mama zit weer beneden. Ik moet alleen nog opschrijven wat er gebeurde toen ik naar huis ging.

Nou, ik was dus weggegaan bij Ruben. Er was bijna niemand op straat, maar opeens fietste Ipek naast me. Ik had haar niet horen aankomen. Dat kwam door de sneeuw natuurlijk.

'Wat moest jij bij Ruben daarnet?' vroeg ze kwaad.

'Niks,' zei ik. 'Ik moest hem alleen iets geven. Iets van school.'

Dat was nog bijna waar ook.

'Jij hoeft hem niks te geven. Geef maar aan David.'

'Het was iets van hem. Ik gaf hem iets terug.'

En dat was écht waar. Hij had een gedicht gemaakt, en ik had teruggeschreven. Ik gaf hem dus een gedicht terug.

Ik lieg bijna nooit.

'Als ik iets merk, vals kind,' zei Ipek.

'Wat bedoel je?'

'Als jij achter Ruben aanzit. Als ik dat merk...'

'Dat is niet zo!' riep ik. 'Ik moet er niet aan denken! Ba!'

Dat was misschien ook weer niet aardig. Want Ipek is op Ruben. Zij vindt hem vast niet ba.

'Ik heb jullie ook samen op de brommer gezien,' zei Ipek. 'Ik weet alles. En als ik iets merk...'

'Dat heb je al gezegd,' zei ik.

'Ben je op hem?'

'Dat heb ík al gezegd,' zei ik. 'En nu wil ik naar huis.'

Ik fietste harder door de sneeuw. Ze volgde me niet. Of misschien wel, maar dat hoorde ik niet. En ik keek niet om.

Thuis vertelde ik alles aan mama.

'Misschien gaat het niet goed met Ipek en Ruben,' zei mama. 'En is ze verdrietig.'

Dat kan best waar zijn. Ik zie ze nooit meer samen, dus misschien is het uit.

De man met de zwarte slang en de dame met het gebroken hart. Misschien moeten ze allebei gewoon eens ontzettend hard huilen. Dat helpt bij mij ook vaak.

Opeens bedacht ik me iets. De man met de zwarte slang... De dame met het gebroken hart...

Ik keek naar mama. Ze had zoveel denkrimpels om haar ogen. Ze zag er zo moe uit.

'Waar is papa?' vroeg ik.

'Even weg,' zei mama.

Ze streek me door mijn haren.

'Je moet echt niet bang zijn,' zei ze. 'Papa en ik houden veel van elkaar. Een beetje ruzie kan geen kwaad. Het komt echt weer goed.'

Soms zeggen grote mensen zomaar iets. Om je te troosten als je verdrietig bent. Je weet eigenlijk nooit zeker of het waar is, wat ze zeggen.

Ik moet eerst slapen.

– Donderdag 17 januari, 12.13 uur

Mis, mis, allemaal mis. Alles gaat mis. En ik kan niet met mama praten, want die moet hard werken. Ze ligt achter, door de kunstweek. Dat riep ze net nog uit haar kamer.

Ik was ook zo moe vanochtend. Ik weet niet waar dat van kwam, maar alles ging fout.

Papa deed kattig aan het ontbijt.

Onderweg naar school fietste ik tegen mama op. We vielen allebei.

De dans werd lelijk.

Ipek schold me uit in het speelkwartier.

En van Ruben kreeg ik een briefje in mijn hand gedrukt. Dit stond erop:

Je ogen zijn zo mooi
Je haren zijn een tooi
Wees maar niet bang dat ik je omgooi
Of dat ik je ga slaan met hooi
Ja, ik geef jou een fooi
Ook in de dooi

Het allerstomste gedicht dat ik ooit heb gelezen. En hij knipoogde ook nog toen hij het gaf!

Ik weet nu zeker dat ik niet verliefd ben. Maar ik weet

ook meteen zeker dat hij wél verliefd is. Op mij. En dat is net zo erg. Arme Ipek.

Hoe moet je tegen iemand zeggen dat je niet verliefd op hem bent? Dat kan bijna niet. No pweedo...

Toen was ik zo stom om het aan David te vragen.

'David, Ruben is verliefd op mij.'

'O?' zei David een beetje sukkelig. 'En jij?'

'Ik niet.'

'Niet op hem?'

David zag er nog steeds een beetje dommig uit. Ik moest lachen, maar dat vond hij niet leuk.

'Nee, stomkop,' zei ik. 'Ik ben toch op jou?'

'Maar wat moet je dan met Ruben?' vroeg David.

'Niks,' zei ik. 'Hij wil wat met mij.'

David dacht even na.

'Dat is hetzelfde,' zei hij toen boos.

Hij liep meteen weg. Ik kon niets meer terugzeggen. Maar het is echt niet hetzelfde! Ik kan er toch niets aan doen als Ruben... Waarom heb ik het hem ook verteld? Ik had niks moeten zeggen, net als met Miguel. Dat ging goed.

Nou ja, alles is dus mis. En straks moet ik weer naar school. Ik weet niet meer wat ik moet doen.

Waarom moet mama altijd werken als het mij niet goed uitkomt?

– Donderdag 17 januari, 15.39 uur

David praatte niet meer met me vanmiddag.

Ipek schopte me, toen ze achter me liep in de gang. Ruben knipoogde de hele tijd. En dat kan hij niet eens; zijn andere oog gaat steeds mee.

Leo was boos omdat ik uit de maat danste.

'Morgenmiddag is de voorstelling al,' zei hij. 'Het moet nu echt goed worden, anders lacht iedereen ons uit. Vooruit, we repeteren nog een keer. En concentratie, dames en heren!'

Het kon mij niet schelen. Ik voelde me toch al ontzettend belachelijk. En het werd nog erger.

We waren bijna klaar met dansen, toen opeens de deur openging. Deze keer keken we allemaal meteen om.

Daar stond Ruben, met zijn handen in zijn zakken en zijn hoofd een beetje scheef. Zo zag hij er toch wel erg stoer uit. Maar wat ging hij zeggen?

'Ik kom meedansen,' zei Ruben. 'Ik heb gehoord dat jullie mij nadoen, dus dan moet ik erbij zijn.'

Hij knipoogde weer naar me, maar nu vond ik het minder erg.

Het werd ontzettend stil. We keken naar Leo. Zou hij boos worden? Zou hij Ruben wegsturen?

Leo zweeg een tijdje. Toen gleed er een brede grijns over zijn gezicht.

'Je bent van harte welkom, jongen,' zei hij.

Ik was zo blij! Het leek net of er een zware steen van me af viel. Alles was goed gekomen. Dat dacht ik echt, eventjes.

Maar bijna meteen daarna kwam de steen weer terug. Want ik bedacht me dat Ipek het vast niet leuk zou vinden. En toen ik naar David keek, zag ik dat hij bezig was zijn schoenen aan te trekken.

'Waar ga je heen?' vroeg ik.

'Weg,' zei hij. 'Gewoon, weg.'

Hij rende het lokaal uit en ik volgde hem. Leo keek verbaasd toen ik voorbijliep.

'Nou, uh, Ruben,' hoorde ik hem nog zeggen. 'Als jij nou eens...'

Ik kon David nergens vinden. Toen liep ik maar naar

mama, in mijn eigen lokaal. Ze was druk aan het werk.
Dat merkte ik toen ik door het raampje in de deur keek.
Ze schudde haar hoofd toen ze mij zag.

Ik stak een vinger omhoog. Mijn wijsvinger. Ik bedoelde dat ik één minuutje wilde praten, één minuutje apen-
tuutje. Daarna ging ik naast de deur op de vloer zitten. Ik
wachtte.

Het duurde lang. Erg lang. Mijn lokaal is vlak bij de
voordeur. Elke keer als er iemand binnenkwam, kreeg ik
koude tocht in mijn nek. En ook langs mijn billen. Ik
werd zo stijf! Ik dacht dat ik nooit meer zou kunnen dansen.

Eindelijk ging de deur open. Mama keek de gang in. Ze
zag me niet.

'Hier ben ik,' zei ik. Ik moest meteen bijna huilen.

'Meisje!' zei mama.

Ze nam me mee naar het kamertje van de directeur.
Hier had Ruben ook gestaan, dinsdag. Voor straf.

Ik stond er voor zielig.

Mama wilde alles weten. Ze luisterde en luisterde. En
toen ik uitgepraat was, dacht ze een hele tijd na. Ik was
bang dat ze weer vreemde dingen zou gaan zeggen. Er
waren al zoveel vreemde dingen: zwarte slangen, gebroken harten, zware stenen, onherbergzaam terrein...

'Eerst gaan we David zoeken,' zei mama. 'Daarna halen
we Ruben erbij, en Ipek ook. We gaan alles precies uitleggen. Als dat kan. Denk je dat dat kan?'

'Bijna,' zei ik.

– Donderdag 17 januari, 19.32 uur

Het werd een stom gesprek. Mama praatte en praatte
maar. Ruben, Ipek, David en ik keken naar de vloer. Ik

zag de kringen in het leer van mijn schoenen. Allemaal de schuld van de sneeuw.

Maar een beetje hielp het wel. David was niet meer zo boos op me. En Ruben gaf geen mislukte knipoogjes meer. Ipek zwijgt gewoon. Ik weet niet wat ze vindt.

Mama zei dat ik het onhandig had aangepakt. Omdat Ruben toch al eerder verliefd op mij was geweest.

Maar ik weet niet hoe ik het anders had moeten doen. Ik wilde alleen maar helpen, ik wilde geen ruzie in de klas. Ik wilde niet dat Leo verdrietig was. En ik wilde Ruben helpen. Omdat hij toch een beetje aardig is, vind ik.

'Zwarte slangen doden,' zei mama bij het eten, 'dat valt lang niet mee. Gebroken harten lijmen is nog moeilijker. Maar het zwaarst is het om de stenen van je eigen hart te schuiven.'

Toen stond papa op met een diepe zucht. Dat doet hij altijd als mama van die dingen zegt. Vroeger riep hij dan: 'Praat toch eens normaal.' Maar dat doet hij nu niet meer. Nee, hij stond alleen maar zuchtend op. En hij ging de afwas doen.

Mama en ik gingen samen naar een soap zitten kijken. Lekker op de bank. Dat doen we wel meer, met zijn tweetjes. Dan gaat mama in het hoekje zitten, met haar benen onder zich. En dan kan ik half op haar liggen, met mijn neus in haar trui. Als ik zo lig, aait mama zachtjes door mijn haar.

Vaak val ik dan in slaap. Dan mis ik de hele soap. Maar daarin gebeurt toch elke dag hetzelfde, dus dat geeft niet.

Vanavond bleef ik wakker. Omdat ik dacht aan morgen, als we onze dans moeten opvoeren. Ik wist niet of Ruben nog mee zou doen. Ik wist opeens geen enkele pas meer. En ik wist vooral niet of ik het deze week wel goed had gedaan.

108

Ik was dus eigenlijk gewoon zenuwachtig. Misschien was mama dat ook wel. Zij moest tenslotte al die schilderijen mooi gaan ophangen.

'Zou alles goed gaan, morgen?' vroeg ik zachtjes.

Maar mama gaf geen antwoord.

Ze sliep.

– Vrijdag 18 januari, 12.49 uur

Ik ga wat schrijven, anders ga ik mezelf toch maar zenuwachtig zitten maken.

Het dooit. De mooie sneeuw van gisteren ligt als grijze pap tegen de stoeprand. Van de daken glijden natte kledders naar beneden. De tweeling vertelde dat de koek-en-zopie op 't Wed door het ijs gezakt is. Ik werd er een beetje droevig van.

Maar op school was het leuk. Anders dan anders.

Overal in de gangen werden schilderijen en tekeningen opgehangen. Daar was mama dus ook bij. Ik zag veel rode en roze harten, sommige met zwarte scheuren erin.

De toneelclub was ook aan het scheuren: met oude lakens. Ze spelen iets over Romeinen, maar ze zien eruit als mummies. Als je dat zegt, worden ze kwaad.

De tweeling liep de hele tijd te galmen in de gang. Ze gaan een soort opera doen, geloof ik. Het klinkt afschuwelijk. Maar misschien is dat de bedoeling.

Leo had ons gevraagd om stoere kleren mee te nemen. Ik had een oud jack van papa aan en zwarte laarzen van mama. Het zag er goed uit.

David liep in een T-shirt met een soort duivel erop.

Ruben had dezelfde kleren aan als altijd. Die is al stoer van zichzelf.

Leo was tevreden over ons en over hoe we eruitzagen.

We moesten eerst weer een paar keer oefenen. Daarna gingen we naar de aula om een decor te maken.

We moesten oude kranten zwart verven. Daarna plakten we ze aan elkaar en de lange slierten prikten we weer aan het plafond. Het werd natuurlijk een bende, maar dat past bij de dans.

En het zag er toch ook griezelig uit. Net zwarte slangen...

'Zo moet het dan maar,' zei Leo. 'Ik verwacht jullie vanmiddag precies op tijd. Het zal druk worden, dus maak je maar vast lekker zenuwachtig.'

En dat zit ik nu ook te doen. Ik kon geen broodje eten en ik kijk steeds naar de klok. Mama is beneden rustig met de afwas in de weer. Maar ja, die is al klaar natuurlijk. Alle schilderijen hangen op hun plek.

Nu slaat de klok één uur. We moeten echt weg. Ik voel mijn hart bonzen. Maar het is ook een leuk gevoel. We zullen zorgen dat Leo trots op ons is!

– Vrijdag 18 januari, 20.33 uur

Zoveel te vertellen! Waar moet ik beginnen...

De dans ging echt ontzettend goed! Laat ik dat maar eerst opschrijven. Iedereen stónd te klappen toen we klaar waren. Dat lieg ik niet.

En Ruben was de beste. Hij was een ster. De rest van de

middag had hij de hele tijd meisjes om zich heen. Meisjes uit groep zeven en acht!

De toespraak van onze directeur was raar.

'Dames en heren, jongens en meisjes,' zei hij. 'We gaan nu kijken en luisteren naar alles wat we deze week gemaakt hebben. Er is hard gewerkt en er is veel gebeurd. De titel van deze kunstmiddag is geworden: "Gebroken harten, zwarte slangen en zware stenen." Ik wens u veel plezier.'

Die titel had mama natuurlijk bedacht. Eigenlijk had ze hem van mij gepikt, en ik werd er bijna boos om. Maar ik zag dat het klopte. Stapels stenen van de beeldhouwers, de zwarte slangen van ons decor. Gebroken harten op de schilderijen.

De toneelspelers mochten eerst. Ze zagen er dan wel uit als mummies, maar ze deden het heel grappig.

Daarna kwamen de dichters. Ruben mocht ook zijn gedicht voorlezen, het gedicht van de pies-kak-stront-kunst! Sommige ouders keken een beetje boos. Maar andere moesten erg lachen en ze riepen: 'Bravo!'

Daarna kwamen wij.

'"De dans van de zwarte slang",' zei Leo. Daarna zette hij meteen de muziek aan.

Het was gek, maar alles voelde anders. Opeens wist ik waar elke spier in mijn lijf precies zat. En ook waar hij voor diende. Elke stap was een goede stap, elke draai een sterke draai. Ik zag dat het bij David net zo ging. Bij iedereen.

Maar dan Ruben! Die draaide, sprong en stapte rond als een echte danser. Zo goed als Leo zelf!

Ik zag zijn vader in de zaal zitten. Hij wiebelde een beetje op zijn stoel en keek om zich heen. Hij vond het natuurlijk niks. Maar even later zag ik hem toch glimlachen. Was hij trots?

Bij de laatste klap van de muziek lieten we ons vallen. Allemaal tegelijk. Zo lagen we te hijgen op de vloer van de aula. Even was het stil. Toen barstte een enorm gejuich los; gejuich, gefluit en geklap.

Ik keek voorzichtig omhoog. Iedereen was gaan staan. En iedereen stond te stralen en te knikken. Ik zag hoe mama haar duim opstak.

En ik zag de vader van Ruben. Hij had zijn armen hoog in de lucht gestoken en klapte boven zijn hoofd.

'Staan, ga staan,' riep Leo. 'Je moet gaan staan en buigen.'

Dat hadden we niet geoefend! Het werd een raar zooitje. Totdat een paar van ons naar Leo renden. Ze trokken hem mee tussen de zwarte kranten. En daar deed hij een paar sprongen en draaien... Zo mooi! Je kon zien dat hij een echte danser is. Wij stonden er in een halve kring omheen. We klapten mee met de zaal. Leo klapte weer voor ons.

Ik denk dat er heel wat mensen pijn in hun handen gehad hebben!

En het aller-, allermooiste was: Leo trok Ruben uit de kring en nam hem mee naar voren. Toen ging iedereen nog harder klappen. En Ruben lachte, en hij zei iets tegen Leo. Niemand kon het verstaan, maar Leo gaf hem een klap op zijn schouders.

Daarna gingen we de schilderijen bekijken. Die waren ook echt goed! Ipek had een dikke, zwarte slang naast haar hart geschilderd. Als je een beetje door je oogharen keek, leek hij best op Ruben.

Wij dansers kregen van Leo een zwartgeverfde roos. Zijn vriend gaf ons een hand. Hij zei dat we geweldig waren. Ik keek naar Ruben, maar die gaf ook gewoon een hand. Hij riep niets raars, gelukkig.

Mama en ik fietsten samen naar huis.

'Ik wist niet dat jij zo goed kon dansen,' zei mama. 'Het zag er geweldig uit. Misschien moet je lessen gaan nemen.'

'Als het al geweldig was, hoef ik geen lessen meer,' zei ik.

'Wijsneus,' zei mama. 'En toch is het geweldig afgelopen. Wie had dat gedacht, gisteren...'

Toen kwam er een auto door de bocht. Hij reed veel te hard en glibberde over de gesmolten sneeuw. Mama gilde en greep me bij mijn mouw. De auto schoot langs ons heen en stopte iets verderop.

En wat denk je? Papa stapte eruit!

'Zijn jullie erg geschrokken?' vroeg hij.

'Wat denk je zelf,' zei mama boos.

'Nou ja,' zei papa. 'Het is glad, zullen we maar zeggen.'

En hij lachte! Mijn papa lachte, net als altijd. Hij was geen stille, boze man meer met een zwarte slang achter zijn hart. Nee, hij lachte.

Gewoon, naar mama en naar mij!

– Zaterdag 19 januari, 14.37 uur

Ik kijk naar de donkere duinen achter ons huis. Hoe zou het met de vossen zijn? En met de konijnen? Hebben ze wel een droog plekje? Kunnen ze schuilen voor de koude regen die al de hele dag valt?

Gisteravond werd het niet meer gezellig. Ik vertelde van de dans en zo, maar mama bleef boos op papa. Dat was jammer, want papa was juist zo anders geworden. Zag mama dat dan niet?

Ik belde David. Die klonk vrolijk. Zijn moeder had de hele dans op video opgenomen. Alle gasten in het hotel hadden ernaar gekeken en nu was David de held. Hij vroeg of ik langs wilde komen, maar papa vond het te laat.

'Bovendien mag jij niet rijden,' zei mama tegen hem. 'Niet in de sneeuw en zeker niet met een kind achterin!'

Dat is zo stom van grote mensen. Eerst zijn ze trots op je. Dan ben je geweldig. En meteen daarna ben je weer een kind, niks meer waard. En dat komt niet door iets wat je zelf doet. Nee, het komt door iemand anders.

Mama is boos op papa, en dan ben ik opeens 'een kind'. Niet eens 'mijn kind' of 'ons kind'. Alsof ze mij niet samen gemaakt hebben. Alsof...

Ik keek naar papa, maar die haalde zijn schouders op. Toen mama even naar de keuken liep, boog hij zich naar me toe.

'Het gaat goed,' fluisterde hij. 'Ik ben boos geweest en nu mag mama. Dat is eerlijk. Maar het gaat absoluut goed. Maak je geen zorgen.'

Ik dacht aan Ruben en Ipek. Die zijn veel jonger. Het zijn nog kinderen, zal ik maar zeggen. Maar ze doen precies hetzelfde als papa en mama. Papa en mama zijn ook kinderen! Zou een mens dan in al die jaren niets bijleren? En waarom zit ik dan op school? Doen we daarom zoveel themaweken, omdat het toch niets helpt? Auto's repareren, dat is nuttig...

Hè, ba, nou zit ik toch weer domme, sombere dingen op te schrijven.

De bel gaat. Ik hoop zó dat het iemand is die voor mij komt...

– *Zaterdag 19 januari, 17.34 uur*

En toen was het Ruben.

Ja, daar schrok ik van. Ook omdat ik steeds aan mama en papa had zitten denken.

114

Maar hij was niet vervelend. Het stopte ook opeens met regenen, dus liepen we samen de duinen in. Een klein stukje, want ik mag er eigenlijk niet komen in het donker.

'Wat zei jij nou?' vroeg ik.

'Hoe bedoel je?'

'Wat zei jij nou tegen Leo, gisteren bij het applaus?'

Ruben lachte.

'Dat ga ik jou niet vertellen,' zei hij. 'Er zijn andere dingen.'

Hij pakte een stok van het zandpad en sloeg ermee tegen een struik. Ik keek hem aan. Hij zag er niet echt anders uit dan een week geleden. Maar toen reed hij over het ijs op zijn rotbrommertje. Toen gaf hij David een klap. Hij zou me nog wel grijpen, riep hij toen.

En nu liep hij gewoon naast me.

'Heb je mijn gedicht nog?' vroeg Ruben.

'Niet bij me,' zei ik.

'Hoe vond je het?'

Ik haalde mijn schouders op.

'Ik meende het wel,' zei Ruben.

'Ik vond dat andere beter,' zei ik. 'Dit was een beetje simpel. Een beetje gerijmel. Meer iets voor groep vier.'

'Ik kan het niet goed,' zei Ruben.

'Je kan dansen,' zei ik. 'Heb je al verkering met een van die meiden?'

Hij keek een andere kant op.

'Er is er vast een die graag wil vallen met een rotbrom-uh, met een brommer,' zei ik.

Hij lachte alweer.

'Kom je nog eens langs?' vroeg hij. 'Dat zou mijn vader ook leuk vinden. Hij vond je hartstikke goed gisteren.'

Ik haalde mijn schouders op.

'Ik weet het niet,' zei ik. 'Misschien.'

We waren vlak bij 't Wed gekomen. Toch iets verder dan ik van plan geweest was. Het grijzige water schemerde tussen de bomen.

'Mijn vader vond iedereen goed,' zei Ruben zacht.

Ik keek hem aan. Opeens begreep ik wat er met hem aan de hand was. Ik wist plotseling waar die zwarte slang vandaan kwam die zo lang achter zijn hart gezeten had. Niemand had ooit tegen hem gezegd dat hij goed was. Hij was al die tijd verschrikkelijk alleen geweest...

Ik kreeg er tranen van in mijn ogen, echt waar. En ik wist niet meer wat ik moest zeggen.

Ruben gelukkig wel.

'Ga mee, schotsie trappen!' riep hij.

Ik vond mijn stem weer terug.

'Nee, ga jij maar. Ik wil liever naar huis.'

Ik draaide me om. Hij legde zijn hand op mijn schouder.

'We zijn toch vrienden?' vroeg hij.

Ik dacht even na. Eigenlijk dacht ik van niet, maar dat kon ik hem onmogelijk zeggen.

'Misschien wel,' zei ik. 'Ik weet het nog niet. Is dat erg?'

'Ik ben in elk geval jouw vriend,' zei hij. 'Als er wat is, hoef je me maar te roepen, dan kom ik meteen.'

'Op je rotbrommertje,' zei ik.

Hij lachte en stompte me zachtjes tegen mijn buik. Toen rende hij weg.

Zelf liep ik ook terug. Langzaam.

– Zaterdag 19 januari, 21.45

Nou, dat was dan de kunstweek.

Papa had gekookt vanavond. Na het toetje zei hij dat

we mee moesten komen naar de kamer. Hij zette de televisie aan.

Er was een voetbalwedstrijd bezig, maar die zapte papa weg. Hij ging een video draaien.

Ik zag onze aula, ik hoorde de tweeling vals zingen. En toen zag ik mezelf. Met mijn stoere kleren aan, schuin achter Ruben.

Papa had de videoband gehaald bij Davids moeder!

Ik keek mijn ogen uit. Het was echt goed, wat we daar deden. En wat ik niet had gezien: Leo en zijn vriend deden mee! Achteraan, tussen de zwarte lappen. Ze stonden stiekem mee te dansen!

'Die jongen vooraan is geweldig,' zei papa. 'Wie is dat?'

'Dat is nou Ruben,' zei mama. 'De jongen met de zwarte slang.'

'Nou, die danst hij dan lekker weg,' zei papa.

Ik vertelde dat we de duinen waren ingegaan. En dat Ruben had gevraagd of ik zijn vriend wilde zijn.

'Wat heb je gezegd?' vroeg papa.

'Dat ik dat nog niet wist,' zei ik. 'Ik wil het niet, denk ik. Ik wil niet op brommers scheuren. En hij heeft David geslagen.'

'Tja, zei papa. 'Kun je hem niet vergeven?'

'Waarom zou ik?' vroeg ik.

'Mama en ik doen het ook, om de zoveel tijd,' zei papa. 'Ruzie maken, boos zijn, en dan denken: Ach nou ja. Ze is stom, maar ze is toch lief. Zoiets.'

'Ach nou ja?' vroeg ik.

Wat zijn er toch rare mensen. En die twee die mijn ouders zijn, zijn het allerraarst.

'Dat is het ongeveer,' lachte mama. 'Maar jij moet het zelf weten.'

'Hij wordt nooit mijn vriend,' zei ik. 'Maar ik ben ook niet meer boos. En zeker niet meer bang.'

'Dat is voor iedereen het beste,' zei papa.

'Het geeft niet,' zei mama. 'Deze wereld is niet alleen een wereld van vrienden.'

'Zo is dat,' zei papa.

En hij zoende ons allebei dat het klapte.

– Zondag 24 juli 2005, 17.41 uur

Ik was altijd een dagboekenkind. Ergens in een doos op mijn zolder moeten er nog enkele tientallen liggen. Met een waarschuwing voorin, net als in dit boek. Dan een paar velletjes met belangrijke voorvallen. En daarna – niets. Lege pagina's. Vergeten, alweer met iets anders bezig.

Ik was dus eigenlijk meer een dagboeken*begin*kind. En dat ben ik lang gebleven. Later schreef ik alleen nog als ik op reis was. Toen onze kinderen geboren werden, heb ik ook dagboeken bijgehouden. Voor hen, voor later. Maar nu ik schrijver ben geworden, heb ik er geen tijd meer voor. En geen zin in ook, trouwens. Ik schrijf al genoeg. Een stratenmaker gaat toch ook niet 's avonds nog even een straatje leggen?

Toch schrijf ik nog wel eens over dingen die ik zelf heb beleefd. De reis naar La Gomera bijvoorbeeld. Wij hebben gevaren met de *Tina*, we aten vis met groene saus, we zwommen op het dak van ons appartement. En we durfden La Fortaleza niet op. Zelfs *Bazar Hamburgo* bestaat echt.

Miguel heb ik verzonnen. Al heb ik op het strand daar een jongen gezien die erg veel op hem leek...

Hans Kuyper
www.hanskuyper.nl

PS. Ik heb eigenlijk geen idee hoe het meisje in dit boek heet. Weet jij het wel?

Mail het me: hanskuyper@hotmail.com.